Toi, mon Bébé

A tous les bébés du livre :

Alexia, Alice, Amédée, Anatole, Angelico, Anna - **B**ella-Pia, Bérénice, Blanche, Boniface - **C**amille, Carla-Marie, Cédric, Cédric, Clément, Coralie - **D**amien, Doriane - **É**dith, Éloïse, Elsa, Emeric, Esther, Eulalie, Éva, Ève, Eytan - **F**austine, Frederika - **G**abrielle-Bao Thû, Gaëlle - **H**adrien, Hadrien, Hélène, Hugo - **I**lan - **J**eanne, Jérôme-Aristide, Joïlita, Jonas, Joseph, Joseph, Joy, Jules, Jules-Victor, Juliette - **K**évin - **L**aetitia, Léa, Léonard, Louise - **M**alcolm, Marguerite, Marion, Mélanie, Milan - **N**adia, Natacha, Nicolas, Nine - **P**aloma, Philothée, Pierre - **R**aphaël, Robin, Roman - **S**amuel, Sandrine, Sarah, Sarah, Solal, Stanislas - **T**haïs, Théodore...

...ainsi qu'à Eloïse, Félix et Sasha

dont les prénoms pourraient donner quelques idées aux futures mamans qui liront ce livre

ISBN : 2-7441-4298-0
N° éditeur : 34450
Dépôt légal : mai 2001

Edition du Club France Loisirs, Paris
Avec l'autorisation des Editions de La Martinière

Editions France Loisirs,
123, boulevard de Grenelle, Paris
www.franceloisirs.com

Toi, mon Bébé

Textes recueillis par

ALIX GIROD DE L'AIN • GÉRALDINE CARRÉ

ÉDITIONS FRANCE LOISIRS

Sommaire

Préface

Elles sont trente-trois, célèbres ou inconnues. Elles ont de un à huit enfants. Elles ont entre vingt et ... « t'huit » ans. Ensemble, elles totalisent une centaine d'enfants, dont certains les ont déjà rendues grands-mères. Elles sont mariées, célibataires, divorcées, mères au foyer, chefs d'entreprise, comédiennes, ouvrières, écrivains, femmes politiques, catholiques, juives, athées, blondes, brunes, rousses, rondes, maigres, drôles, sérieuses, douces, exhubérantes, à cheval sur les principes ou bohèmes. Les femmes de cet inventaire à la Prévert ont pourtant un point commun qu'elles partagent avec deux milliards de leurs semblables : toutes ont connu le bonheur de dire, un jour : « Toi, mon bébé ». Nous leur avons demandé de nous raconter les premiers moments de cette drôle d'aventure : devenir mère. Il est si fugace, le temps des tout-petits ! Elle vient si vite, l'heure des genoux couronnés, des rentrées scolaires, du ketchup sur les coquillettes et des bruits de gargouille des consoles de jeux... Ce que nous voulions, c'est le tout début, l'époque où l'on tient encore sa progéniture en entier au creux des bras. Le bébé, plus que l'enfant. Ces trente-trois mères ont accepté de jouer à « Je me souviens ». Et dans la diversité des textes qu'elles ont bien voulu nous confier, il y a la même émotion. Leur histoire, c'est aussi la nôtre.

Au début, lorsque nous leur avons demandé de nous raconter leur expérience de la maternité, la plupart ont commencé par froncer le nez : « Et puis quoi encore, vous voulez des photos de l'accouchement ? », ironisait l'une.

« Parler de *ça*, c'est délicat, rien n'est plus intime », disait une autre. Il a fallu expliquer, convaincre. Oui, elles avaient le droit d'écrire ce qu'elles voulaient, non, personne ne leur demandait un texte à l'imparfait du subjonctif ou en alexandrins. Ce que nous voulions avant tout, c'était leur regard, à elles. Ce serait moins dur qu'un accouchement, promis ! Il y avait celles qui disaient : « Toi, mon bébé ? Mais, lequel ? J'en ai eu plusieurs, c'est affreux de choisir... », et à qui nous répondions : « Et bien, ne choisissez pas ! » Celles qui protestaient : « Mais cet enfant, je ne l'ai pas fait toute seule, où sont les pères dans votre projet ? »... « C'est un livre sur le couple mère-bébé, le tour des hommes viendra sans doute, plus tard. » D'autres, enfin, nous le savions, avaient connu des drames, mais ont tout de suite accepté de témoigner : sous leurs plumes, leurs mots d'amour ont pris un tour pudique et grave.

Petit à petit, les fax sont arrivés, et chaque histoire, si singulière soit-elle, avait des accents universels : les mots « plénitude », « émerveillement », « magie » revenaient souvent, mais sans complaisance ni fadeur. Au-dessus de tous, il y avait « miracle » : unanimes, leurs trente-trois témoignages évoquaient tous ce miracle ordinaire, mettre un être au monde. Miracle de ce ventre déformé devenu une personne que l'on contemple à s'en user les yeux. Miracle de cet échange de regards, longtemps rêvé, entre nous et ce corps minuscule. Miracle des petites oreilles parfaitement ourlées. Miracle des orteils aux ongles microscopiques. Miracle de ce grand écart, toujours réussi, entre l'enfant abstrait et l'enfant réel. Miracle de la symétrie entre un corps qui redevient plat et cet amour qui gonfle chaque jour un peu plus. Miracle, enfin, du duo « lui et moi » qui devient trio et, au passage, gagne du sens. Les mamans de ce livre ont toutes trouvé des mots justes et vrais pour évoquer leur émerveillement face à leur bébé. Elles sont nombreuses à confesser avoir pleuré de bonheur en donnant la vie. En les lisant, on ne peut s'empêcher de s'interroger ; et nous, nos dernières larmes de joie, c'était quand ? Dans les zones d'ombre également, les textes se renvoyaient les uns aux autres ; face à ces trois kilos autonomes et mystérieux, les dix à trente que l'on a attrapés pendant le grossesse ne font pas toujours le poids. Les doutes, les interrogations, les peurs irrationnelles, les moments de découragement n'épargnent personne. Mais avec le recul, tout le monde semblait d'accord sur un point ; pour combattre les coups de blues, mieux vaut avaler des petits pieds rondouillards pour de faux que de grosses pilules pour de vrai. Et contre les yeux cernés, un sourire de bébé, c'est encore plus radical que les ampoules coup d'éclat ! À croire que le charme des nourrissons, sensuel, charnel est la meilleure astuce pour nous faire sciemment choisir quelques mois d'esclavage. Car là encore, la magie du bébé opère : quelques mois après avoit juré qu'on ne l'y prendrait plus, laquelle d'entre nous n'a pas rêvé de « reprendre du service », oubliant d'un coup nuits blanches et abonnement chez le pédiatre ?

Après les textes sont arrivées les photos. Nos boîtes aux lettres se sont peu à peu remplies d'enveloppes débordant de mamans roses ou de poupons en noir et blanc. Très vite, nous avons été frappées par un étrange phénomène : si différentes qu'elles soient, sur les photos, toutes les mères se ressemblaient. C'était le regard. Tantôt flou et pétillant, comme drogué au bonheur, tantôt grave, profond, presque étonné. Les visages, parfois fatigués, rayonnaient tous. En les découvrant, Géraldine et moi avons eu le sentiment de nous revoir : photos le ventre en avant, puis clichés posés à la Maternité, instantanés du premier bain, du premier câlin, polaroïds du père un peu ahuri découvrant les tétines à trois vitesses, nos albums présentaient à peu près les mêmes images. D'ailleurs, face aux bébés des autres, notre émotion était presque identique. Comme si le charme du nouveau-né consistait avant tout en son universelle puissance d'évocation... À travers les photos de ces enfants inconnus, Géraldine revivait la naissance de la petite Sasha, blonde et ronde, il y a quelques mois à peine. Pour moi, mère d'un quasi footballeur professionnel et d'une déjà grande danseuse à couettes, ce fut l'occasion d'un retour vers l'époque, lointaine, où l'on couchait encore les nouveau-nés sur le ventre, rendez-vous compte ! Lors de ce voyage dans le temps, j'ai constaté que mon souvenir de l'odeur de caramel de leurs petits plis dans le cou, lui, était intact.

Aux trente-trois auteurs de ce livre, nous voudrions dire merci de nous avoir rappelé, et avec quel talent, que notre plus tendre histoire d'amour, c'est eux, nos bébés.

Alix Girod de l'Ain

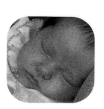

Victoire de Castellane

Victoire de Castellane est créatrice de la haute joaillerie chez Dior. Elle a lancé la première collection au printemps dernier. Auparavant, c'est chez Chanel qu'elle officiait à la fois comme créatrice des bijoux fantaisie et accessoires mais aussi comme égérie de Karl Lagerfeld.

Victoire a 35 ans. Elle est mariée à Paul-Emmanuel Reillers depuis cinq ans et ils ont trois enfants : les jumeaux Boniface et Stanislas, nés le 29 septembre 1995, et Jules-Victor, né le 24 novembre 1997.

Victoire, qui aime à dire qu'elle sait ce qu'elle veut, raconte comment ses désirs sont devenus réalité.

Un parfum d'innocence

« Quand je serai grande, je me marierai à trente ans et je ferai trois enfants. » J'ai toujours eu des idées bien arrêtées. À l'âge « fatidique », j'ai épousé Paul-Emmanuel et, très rapidement, je suis tombée enceinte. J'espérais de tout mon cœur que ce seraient des jumeaux.

Avoir deux enfants en même temps me semblait normal. J'avais très peur de donner toute mon affection à un seul bébé et de négliger ma vie de couple et mon travail. Je pensais qu'avec un enfant sans frère ni sœur, je ne sortirais plus, ne partirais plus en vacances sans me sentir coupable de l'avoir laissé. Tandis qu'à deux, ils ne seraient jamais seuls, même sans nous, et puis le père pourrait s'impliquer plus vite. Deux enfants à la fois, c'était plus équitable, plus joyeux, plus familial. Voilà pourquoi je voulais des jumeaux, qui sont nés le 29 septembre 1995 pour ma plus grande joie.

Je rêvais également de garçons.

Moi qui ait été élevée parmi des femmes essentiellement : grand-mère, mère, sœurs et six cousines, je voulais des garçons, un monde plus spontané, sans « manières ».

Les petits garçons, c'est plus simple, plus franc et, pour une femme, plus mystérieux. La perspective d'un monde inconnu et ludique me réjouissait. Découvrir mes fils, leur caractère, leur logique, les habiller, prendre des photos avec eux, tout cela me plaisait beaucoup.

Et Boniface et Stanislas sont arrivés comme par magie, fruits de mes envies. Il ne me manquait plus qu'une chose pour réaliser tous mes rêves de mère : un autre bébé. Je me suis toujours dit qu'une vraie famille était composée de trois enfants. C'est mon image d'Épinal.

Alors Jules-Victor est arrivé. Et nous voilà, tous les cinq réunis.

Les désirs, inconscients mais profonds, influencent-ils la réalité ? Je veux le croire. À moins que des fées ne soient passées par là…

Le bonheur est une réalité proche du rêve. Lorsque je suis avec mes fils en train de les câliner, je ferme les yeux et m'apparaît l'image tendre et pure d'un enfant vêtu d'une petite chemise de coton blanc, en train de faire une sieste l'été sous un arbre. Je sens sa peau fraîche et douce, et je sais à cet instant ce qu'est l'innocence.

Roselyne Bachelot

Roselyne Bachelot-Narquin est née la veille de Noël 1946 à Nevers (Nièvre). Elle est docteur en pharmacie, députée R.P.R. (Rassemblement pour la République) de Maine-et-Loire, vice-présidente du Conseil régional des Pays de la Loire et conseillère municipale d'Angers. Cette femme politique est une battante souriante et haute en couleur (elle adore les tailleurs rose vif...) qui s'est illustrée en 1998-99 en soutenant l'adoption à l'Assemblée nationale du P.A.C.S. (Pacte civil de solidarité), un contrat social en faveur de la communauté homosexuelle.

Roselyne Bachelot a un fils de 30 ans, Pierre. Le temps passe vite, l'impression de ne pas avoir vu grandir son enfant se fait sentir. À peine s'attache-t-on à son tout-petit, qu'il réclame déjà son indépendance...

 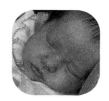   

Mon bébé d'un mètre quatre-vingt-cinq

Toi, mon bébé, tu es grand maintenant avec tes longs bras et ta grosse voix. Mais chaque fois que je pense à toi, je reprends contre moi 51 cm et 3,2 kg de bonheur absolu. Ta petite tête duveteuse s'accroche à mon sein et je ne cesse de m'inquiéter, me demandant si je serai digne de la confiance que tu me portes. Tes pieds et tes mains sont des coquillages magnifiques et je voudrais pouvoir retirer – là, tout de suite – les pierres et les épines qui, plus tard, ne manqueront pas de les blesser. Ton ventre est un moelleux coussin et mes lèvres embrassent religieusement le satin de ta peau.

Déjà, tu grandis, en hurlant, en grognant, en gazouillant, en riant, et tu exprimes une telle vivacité, une telle vitalité, une telle voracité, que je me sens un peu morte.

Et je devine que ce sentiment de ma vie qui s'en va, devant la tienne qui vient, accompagnera notre amour dans un contrepoint lancinant.

Toi, mon bébé, tu es mon petit pour toujours.

Mais chaque fois que j'ai pensé à toi, je t'ai imaginé avec ton 1 m 85 et tes 80 kg, tes violences, tes tendresses, tes chagrins. J'accepte que tu ne sois plus à moi ; d'ailleurs, tu ne l'as jamais été… Tu n'appartiens qu'à toi-même.

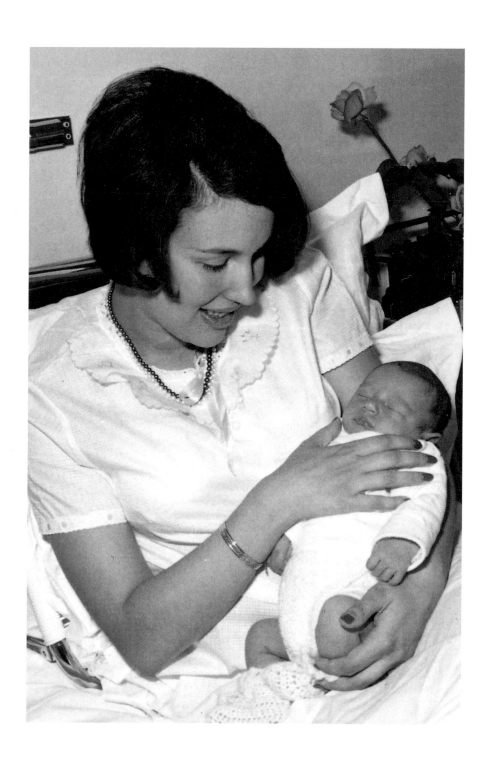

Isabelle Giordano

Après des études de sciences politiques, Isabelle Giordano est entrée à Canal Plus où elle officie depuis sept ans en tant que journaliste spécialiste du cinéma. Elle a deux enfants, Joseph, 4 ans, et Esther, 2 ans.

Le soir, Isabelle n'hésite pas à mimer la belette, à quatre pattes par terre...

Déclaration d'amour

Être bouleversée par son premier cri,

Être subjuguée par son premier regard,

Enfouir son nez dans son cou pendant des heures,

Passer de longs moments à le masser, à le chatouiller,

Lui chuchoter des petits secrets à l'oreille,

Lui faire de grandes déclarations d'amour,

Lui raconter des histoires à l'imaginaire débridé,

L'endormir en le berçant de mots doux,

Inventer de nouvelles comptines,

Écouter ses rires,

Être fascinée par ses sourires,

Sentir des fleurs avec lui,

Jouer, marcher, courir avec lui,

Vivre avec lui,

Et l'aimer à l'infini.

Aurélia Stouls

Aurélia Stouls est née dans les années soixante.

Fan de mode et de création, elle a étudié à Paris et New York et s'est prise de passion pour l'univers de la chaussure il y a une douzaine d'années. Carel, Mugler, Balenciaga, Zara, lui ont demandé de créer des « petits souliers », et aujourd'hui, c'est pour Stéphane Kélian qu'elle dessine ses croquis.

Aurélia est la maman d'un petit Hadrien né le 30 juin 1998.

Une sorte de foi

Les bons conseils

« Je ne veux pas t'affoler mais avec les contractions, tu vas déguster… », me disait l'une. « Moi, j'ai perdu les eaux en pleine nuit, notre lit ressemblait à une vraie piscine », racontait l'autre. « Prépare à l'avance ton sac pour la clinique parce que je te préviens, tu y partiras pliée en deux…, tiens, prends mon numéro de taxi prioritaire si Éric n'est pas là, on ne sait jamais… »

Et te voilà, mon petit prince !

Cet instant où tout allait déraper, ce vent de panique que j'attendais comme une fatalité et que je redoutais tant n'est jamais arrivé… la peur non plus. Nous sommes partis t'accueillir tous les trois. Éric, mon ventre et moi, au petit matin, main dans la main, ongles peints et claquettes aux pieds. C'était l'été.

L'héritier

« Allez, poussez une dernière fois… Oh ! le joli petit garçon ! » m'a dit mon médecin en sortant le bébé de mon ventre.

J'attendais un enfant et pas une fille ou un garçon. Neuf mois de fantasmes délicieux mêlés à une douce curiosité, durant lesquels je ne balançais dans aucun camp. Et voilà !

Un fils ! Quelle incroyable et étonnante sensation de fierté d'avoir fait un fils, d'avoir donné un héritier à mon mari ; j'avais assuré sa descendance. Prise en flagrant délit d'un archaïsme profond, avec tout ce que l'idée de filiation véhicule, j'ai été surprise d'avoir ce sentiment très primaire.

Il est six heures du matin, mon fils est né depuis douze heures et j'attends qu'on le monte de la nursery : calme, prête, impatiente. La porte s'ouvre et roule vers moi un petit berceau transparent : à l'intérieur mon petit garçon, cool et zen. Je devine déjà qu'avec lui les choses seront faciles.

Mon fils, souriant si souvent, toujours… ou presque. Un sourire de vain-

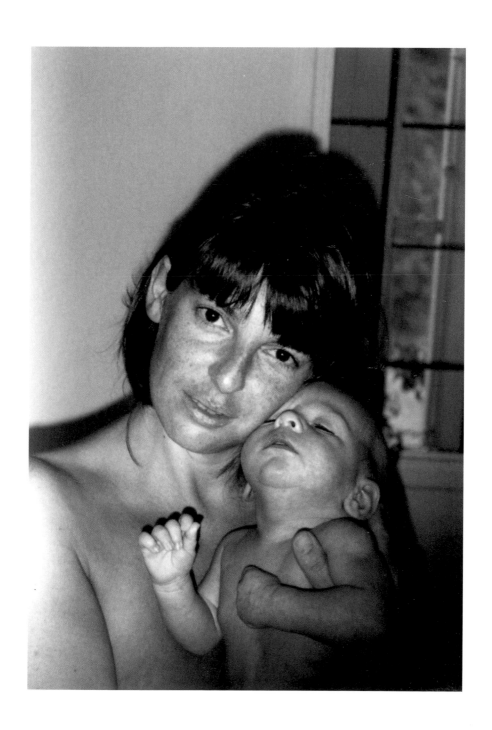

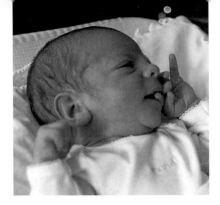

queur lorsqu'il regarde son papa, parce qu'il tient quelques secondes sur ses jambes. Un éclat de rire radieux quand ce dernier l'encourage… je deviens le témoin d'une complicité exquise entre mes deux hommes. Quand le plus petit est dans les bras du plus grand et qu'il biberonne à son aise, une sorte de force tranquille émane de ces deux-là, comme une assurance que le monde tourne à l'endroit. Je constate avec beaucoup d'émotion qu'Éric est un papa-gâteau, drôle, enfantin et touchant.

L'amour maternel

Quant à moi, je me découvre maternelle avec une facilité, une simplicité toute merveilleuse. D'observateur, on devient auteur, compositeur, interprète. L'amour maternel a quelque chose d'ineffable que je comparerais à la foi ; une femme qui n'est pas mère peut seulement comprendre, elle ne sait pas les joies, les découvertes, l'émerveillement, la violence du sentiment parfois. C'est comme une grande bouffée d'oxygène contenue dans un corps trop petit.

À cet instant précis

Mon petit garçon a neuf mois. Il vient de partir pour le square avec sa nounou, sous un beau soleil de printemps. Il commence à se tenir debout tout seul depuis dix jours sous les applaudissements gâteux de ses parents. Il fait un petit signe de la main pour dire au revoir. Ses éclats de rire nous ravissent le cœur à chaque fois. Nous ressentons chacune de ses découvertes comme une petite victoire personnelle, et ce qui nous touche au plus haut point, c'est cet émerveillement constant dans son regard qu'il nous transmet sans même le savoir, le plus naturellement du monde.

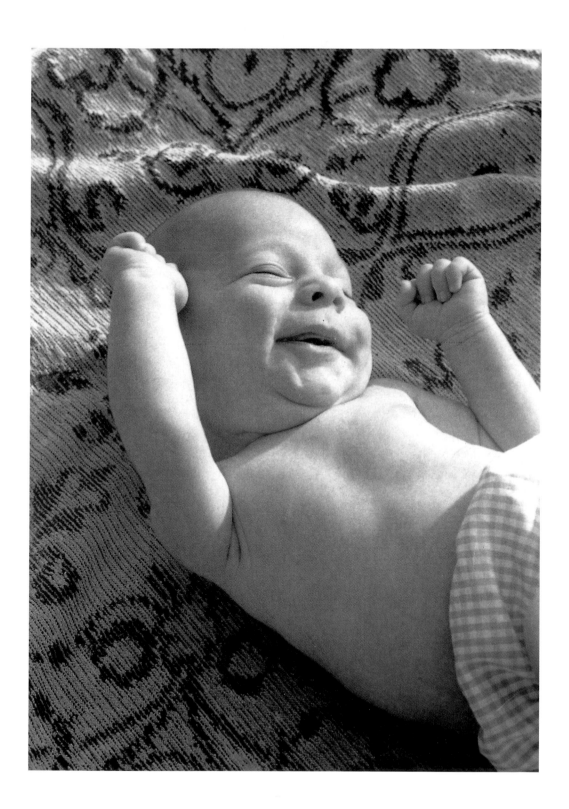

Michèle Fitoussi

Michèle Fitoussi est écrivain et journaliste. Éditorialiste à Elle, elle est l'auteur de six livres dont le dernier, La Prisonnière, co-écrit avec Malika Oufkir, a été en tête des ventes pendant plusieurs mois. Elle a deux enfants, Léa, née en 1983, et Hugo, né deux ans plus tard. En 1991, Michèle a signé une Lettre à mon fils et à tous les petits garçons qui deviendront des hommes. Parité oblige, elle profite donc de l'occasion de ce livre pour dédier son texte à sa fille.

L'inguérissable nostalgie

Je n'ai d'abord vu qu'une fossette, une virgule, posée comme un cheveu d'ange sur une joue minuscule. Puis un duvet clair, puis deux gambettes de poupée qui pédalaient au-dessus de mon ventre, puis plus rien, car on l'a posée sur ma poitrine et j'ai fermé les yeux de bonheur. En les rouvrant, j'ai compris que ce n'était pas un rêve, elle était là, au chaud contre moi, petite vie qui commençait, grand amour qui n'en finirait pas de grandir. Tant pis pour les conseils avisés des aïeules et des pédagogues : ma fille serait une enfant à bras. Elle ne dormait jamais le jour, trop énervée, trop avide de tout connaître. Elle ne s'apaisait que sur mon cœur. Pendant deux mois, je n'ai fait que la bercer, heureuse jusqu'à la béatitude de cette fusion retrouvée.

Je la détaillais sans relâche, cherchant en vain dans cette blondeur, ce teint incarnat, ces pupilles rondes aux nuances de bleuet, un détail qui puisse nous rapprocher. Elle était claire comme j'étais brune. Du Nord comme j'étais du Sud. Nous l'avions baptisée Léa en hommage à une belle actrice italienne. Elle aurait pu sans aucun mal s'appeler Jennifer ou Allison, elle en avait la couleur locale. « Ta fille a ta bouche », lançait abruptement ma mère en lot de consolation, après avoir longuement scruté son visage.

S'apprendre fut pourtant difficile. Je me souviens de ces longues soirées passées à l'endormir. En désespoir de cause, son père la hissait par-dessus son épaule, pour tenter de calmer la tempête. Mais en vain. Elle s'y accrochait comme on le fait à un bastingage. Bien campée sur le pont du navire paternel, s'époumonant vers le vent du large, elle promettait déjà de ne pas se laisser faire. Elle sut dire ses premiers mots avant même de poser un pied devant l'autre. On ne peut pas être un génie partout : à dix mois, elle cherchait encore la position assise. D'elle, j'ai des souvenirs en pagaille, que je viens solliciter quand me manquent les rondeurs de ses petits pieds patauds, le joli creux au bas de sa paume, l'odeur de ses cheveux au réveil, ses joues rouges aux premiers soleils. J'ai tout noté avec ferveur : premières dents,

premiers pas chancelants, premiers mots d'enfant, premier tour de manège, premier bac à sable et premier gros chagrin à l'arrivée du petit frère. À deux ans et demi, il est un peu tôt pour être délaissée. D'ailleurs, elle ne l'entendait pas ainsi. Mes rendez-vous avec ce gros garçon goulu et sage, qui dormait le jour et me réclamait au soir tombé, avaient lieu la nuit, quand elle tombait enfin épuisée de sommeil, malgré toute sa méfiance.

C'est ainsi que nous nous sommes rencontrés lui et moi, parce qu'elle acceptait de nous concéder quelques centimètres carrés de son territoire. Elle l'avait d'ailleurs prévenu le premier jour de son arrivée chez nous, tandis qu'il braillait, solitaire dans son couffin. « Ne t'inquiète pas, petit frère, tu vas voir, ma maman est très gentille. »

Nous l'avons appelé Hugo, en référence au père de Corto Maltese. L'expérience aurait dû nous enseigner que les enfants ne réalisent jamais les désirs de leurs parents. À un an, notre aventurier ne dépassait pas les limites de la couverture où on le déposait pour la journée. Le pouce dans la bouche, un doigt dans le nombril, il refaisait le monde à sa guise, son adorable bouille ronde perdue dans les nuages, les merveilleux nuages.

Aujourd'hui qu'ils sont adolescents, j'ai gardé l'inguérissable nostalgie de leurs petites mains glissées dans les miennes.

Guila Braoudé

Guila Braoudé aime le cinéma. Comédienne, monteuse, directrice artistique, coscénariste pour la télévision, elle a même épousé un homme de cinéma, Patrick Braoudé, réalisateur de Neuf mois.

Elle est elle-même la réalisatrice d'un long métrage intitulé Mère agitée relatant les tribulations d'une jeune maman. Guila et Patrick ont eu deux fils, Jonas, 9 ans et demi, et Ilan, 6 ans.

Transmettre

Un cri ! Jonas vient de naître.

Une chanson douce est chuchotée à son oreille. Il relève la tête, la tourne lentement vers son père qui chante. Il s'arrête de crier. Net !

Nous sommes sans voix. Il vient de reconnaître l'air que nous lui fredonnons depuis neuf mois.

Ce que nous venons de partager est inoubliable !

Miracle de la vie ! Il vit, il respire, il bouge. Je ne m'en remets pas !

Un vrai petit être à qui je vais devoir transmettre la vie, les codes, l'amour et, bien sûr, qu'y puis-je, un passé, des siècles de passé.

Transmettre. Mais tenter de ne pas reproduire...

Deux jours de vie et déjà une jaunisse violente !

Les médecins mettent Jonas sous U.V. pour le soigner. La séparation est cruelle. Je ne le vois, ne le touche, ne l'embrasse que toutes les trois heures pour l'allaitement qui dure dix minutes.

Une séparation forcée qui influencera, sans aucun doute, son caractère et renforcera mon inquiétude.

Inquiétude si bien transmise par mes aînées... celle que je ne voulais pas reproduire.

En regardant Jonas, je sens monter en moi ce que ma mère et des générations de femmes m'ont transmis. « Mes » générations de femmes, en l'occurrence, sont juives marocaines.

Transmettre = protéger

Je réalise malgré moi que je suis très « mère juive »... mais nouvelle génération.

C'est-à-dire : tout faire pour...

J'aime mon fils, et alors !

Faut-il encore que je ne l'étouffe pas ! Qu'il découvre le monde extérieur ! Que je lutte contre mes peurs. Et s'il tombe, s'il se blesse, s'il se fait agresser ? Faut-il encore que je maîtrise cet atavisme millénaire : la peur. Difficile de décrire ce « sentiment » qui me rend contente lorsque Jonas ne dort pas, parce qu'alors, je peux être avec lui, le protéger…

Transmettre = aimer, respecter
En prenant mon bébé contre moi, j'ai la chair de poule. Le pouvoir de création dont m'a dotée la nature m'épate. Pour autant, je n'ai pas envie que mes enfants portent le poids d'une mère qui se serait entièrement dévouée

et oubliée pour eux. Alors, aujourd'hui, cela veut dire que je ne fais pas souvent les sorties d'école, que les goûters sont sous cellophane.

Et puis, comme je ne suis pas toujours là, je les stresse un peu.

Parce qu'évidemment, je veux tout réussir en même temps : leur éducation et ma vie. Je voudrais stimuler leur curiosité et trouver le temps de me reposer. Je voudrais les faire rire, leur lire des histoires et, dans le même temps, tenter d'en raconter d'autres à des spectateurs. Ce n'est pas facile tous les jours !

Mais ce choix préservera leur liberté d'adulte. J'en suis sûre.

C'est le meilleur moyen de transmettre à mes enfants cette valeur indissociable de l'amour que j'éprouve pour eux : la liberté, le respect des autres.

Transmettre = continuer

Un livre a beaucoup compté dans mon désir de devenir mère ; en lisant *Les Mémoires d'Abraham* de Marek Halter, j'ai eu un sentiment d'éternité que j'ai retrouvé lorsque mes fils sont nés. C'est aussi pour cela que nous avons choisi le nom d'un messager de la paix pour l'aîné, Jonas. Quant au deuxième garçon, nous l'avons appelé Ilan, l'« arbre de la vie ».

J'ai compris que faire un bébé, ce n'est pas seulement un acte d'amour mais c'est une façon de choisir de ne pas mourir.

Corinne Touzet

Corinne Touzet est une comédienne au parcours atypique.

Elle a travaillé avec le Piccolo Teatro, le Grand Magic Circus,

l'Odin Teatret, et pendant deux années, elle a effectué un

travail sur le clown avec Yves Quinio. Elle a tourné au

cinéma sous la houlette de Lautner, Lelouch, Bellochio ou

Hanin, et la télévision l'a consacrée avec des téléfilms

comme D'Or et de safran, *et bien sûr,* Une femme d'hon-

neur, *série diffusée depuis quatre ans sur TF1.*

À 39 ans, Corinne Touzet est célibataire et mère d'une petite

fille, Jeanne, qu'elle élève seule dans sa grande maison du

sud de la France.

De chair et de sang

Lorsqu'on m'a posé ma fille sur la poitrine avec son cordon ombilical accroché au nombril, son corps long, si long (54 cm) que j'avais l'impression qu'elle n'en finirait jamais de sortir, j'ai compris que l'amour naissait. En moi. Pour la première fois, un amour différent.

Un amour mêlé de sang, que je pouvais palper, boire ou manger, réel et fluide en même temps ; liquide comme le sang qui s'échappait de mon ventre et qui unissait nos deux corps. Ce sentiment d'amour m'envahissait si fort que mes larmes n'en finissaient plus de renaître, comme une rivière.

J'étais émerveillée, heureuse, remplie et, dans le même temps, je me vidais de tous les liquides organiques possibles et mes larmes les rejoignaient… et tout cela n'était que de l'amour.

Non, je n'avais pas vu Dieu, j'ai les pieds bien enfoncés dans la terre, et c'est justement pour cela que je veux parler de cet amour inimaginable, irrationnel, d'une force que je n'avais jamais ressentie jusque-là. Un amour si fort que je me demande toujours si c'est pareil pour toutes les mamans, si fort que j'avais envie de l'écrire.

Cet amour est donc né un jour dans un bloc opératoire où je me suis mise à parler à ma fille, comme si nous étions seules dans la salle. Je ne pouvais plus m'arrêter de la regarder, et plus les minutes passaient, plus l'émotion laissait place à l'incrédulité. Je n'arrivais pas à croire que j'y étais arrivée. Que j'avais mis au monde mon enfant. Moi qui avais toujours eu très peur de l'accouchement (et j'ai peur encore), j'avais réussi, comme les autres.

Depuis ce jour, je vis avec cette force, cet amour qui continue à me bouleverser. Au point que lorsque je tourne à des milliers de kilomètres de chez moi, si ma fille est malade et qu'elle se réveille en pleine nuit, je me réveille à la même heure.

Ce lien est si fort qu'il en devient parfois fatigant. Parce que je ne suis plus jamais vraiment tranquille, parce que je ne dors plus jamais profondément… parce que je suis devenue responsable d'une vie.

Elle me bouleverse toujours, comme la première fois où je l'ai regardée s'éloigner avec son cartable pour aller à l'école, elle rigolait, courait ; moi, je me cachais pour pleurer. C'était la première fois que je réalisais que ma petite fille avait grandi, si vite, elle n'avait plus besoin de moi tout le temps et pouvait se rendre seule dans un endroit que je connaissais à peine. Des premières fois, il y en aura encore beaucoup et je sais que cette tendresse qui nous lie fera partie de ma vie jusqu'à ma mort.

Ma puce, si tu lis ce livre plus tard, j'espère que tu seras mère à ton tour, aussi heureuse que moi d'avoir eu des enfants. J'espère aussi qu'il y aura toujours entre nous ces fous rires aux moments les plus inattendus.
Ce qui est sûr, c'est que tu comprendras pourquoi lorsque je te regardais bêtement et que tu me demandais : « Pourquoi tu me regardes comme cela, maman ? », je te répondais : « Parce que je t'aime, Jeanne. »

Caroline Thompson

Caroline Thompson a 35 ans. Elle est née à New York, a la double nationalité et vit à Paris avec l'écrivain Pascal Bruckner. Ensemble, ils ont une petite fille, Anna Bruckner, née le 10 décembre 1996. Petite-fille de Gérard Oury et fille de la scénariste Danielle Thompson, Caroline est psychologue (clinicienne) et psychanalyste.

 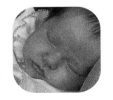   

La naissance d'une mère

Qui es-tu ma fille ?
Tu as ta volonté, tu écoutes, tu réagis et, souvent, tu m'étonnes. Toute ma vie, je vais te découvrir, quel bonheur !

Et pourtant, mon petit amour, tu es née difficilement, mais cela reste un moment extraordinaire, et c'est ce dont j'ai envie de te parler.

J'ai une conviction depuis le début, c'est que tu as une force inouïe. Quand je dis depuis le début, c'est au moment où j'ai appris que tu étais dans mon ventre.

Quand on m'a dit de m'allonger les derniers mois de ma grossesse et que tout le monde était inquiet, je savais que rien ne pouvait t'arriver.

Quand on m'a emmenée d'urgence à l'hôpital et que j'y suis restée cinq semaines avant que tu naisses, ta force me rendait sereine.

Et quand tu es née deux mois trop tôt, si petite, si fragile, le bonheur que tu sois là fut plus fort que l'inquiétude.

Dans ta couveuse, tu t'agitais, pleine d'une vie toute nouvelle pour toi. On a appris à se connaître au jour le jour avec ce sentiment que tu étais à découvrir et, pourtant, c'était comme si tu avais toujours été là.

À l'hôpital, je te racontais des tas de choses : j'ai revisité la vie que j'avais eue avant toi, à travers toi. Je te dévorais des yeux, te prenant égoïstement dans mes bras alors que tu dormais, mais j'en avais tellement envie, tellement besoin.

Puis vint le moment où tu es revenue à la maison, dans ta chambre rose. Tu avais six semaines et ne pesais que deux kilos et demi. La première nuit, on n'a pas dormi : on t'a couchée dans notre chambre et regardé dormir, et puis te réveiller, tourner et rejoindre à nouveau les bras de Morphée.

Depuis, tout est allé si vite ; cela fait deux ans et quelques mois que tu es là et c'est toute une vie. Avec ton papa, nous avons appris à vivre à trois, à trouver les moments en duo, lui et toi, toi et moi, lui et moi, pour mieux se retrouver ensemble.

Avant toi, j'avais l'impression d'être bancale, penchée ; tu es venue me caler, me donner ma place. Je t'ai fabriquée mais tu as fait de moi une mère. Ta naissance m'a donné envie de faire plein de choses qui n'avaient rien à voir avec toi, comme si cela m'ouvrait à l'essentiel. Toi aussi, tu me découvres, tu me jauges, tu me testes : « Non pas ça », me lances-tu. Tu me renvoies à mes contradictions en me singeant, ce qui me fait rire.

Et ce qui m'étonne le plus, c'est que tu comprennes ce qui est drôle.

Mais, ça n'est pas toujours si simple : j'ai aussi découvert la culpabilité avec ton arrivée. Ce sentiment de ne pas être à la hauteur. Pourtant tu m'as appris à quel point c'était inutile. Alors, je te regarde faire, rire, changer, et même si tous les enfants passent par là, j'ai l'impression que ces choses n'ont jamais été faites avant toi.

Ta présence a aussi chamboulé toutes mes d'idées que j'avais sur « les enfants », ceux que je vois chaque jour dans mon travail de psychologue et de psychothérapeute. J'ai passé des années à apprendre leur développement, à comprendre ce qu'ils pouvaient ressentir, à aider des parents en difficultés. Et puis, je me retrouve devant toi et tu me fais tout oublier. Tant mieux ! Avec toi, je suis une maman, ta maman, je fais les mêmes erreurs que les autres. Tu as effacé le savoir, et c'est l'émotion qui prend la place. Car tu n'es pas un enfant, tu es mon enfant.

Finalement, ce n'est pas mon métier qui m'aide à t'élever, mais toi qui me fais progresser. Il m'arrive parfois de comprendre ce qui se passe avec un petit patient ou quelque chose que je lis en t'observant.

Ma petite Anna, mon amour blond, j'ai essayé de montrer un fond d'objectivité mais je ne tiens plus : tu dessines des ronds et je suis obligée de crier mon admiration. Je sais, dans quelques années, lorsque je relirai ces lignes, je me sentirai sans doute moi aussi ridicule. Mais je crois que toute ma vie je garderai pour toi ce même sentiment que devant tes ronds : celui d'un amour fou.

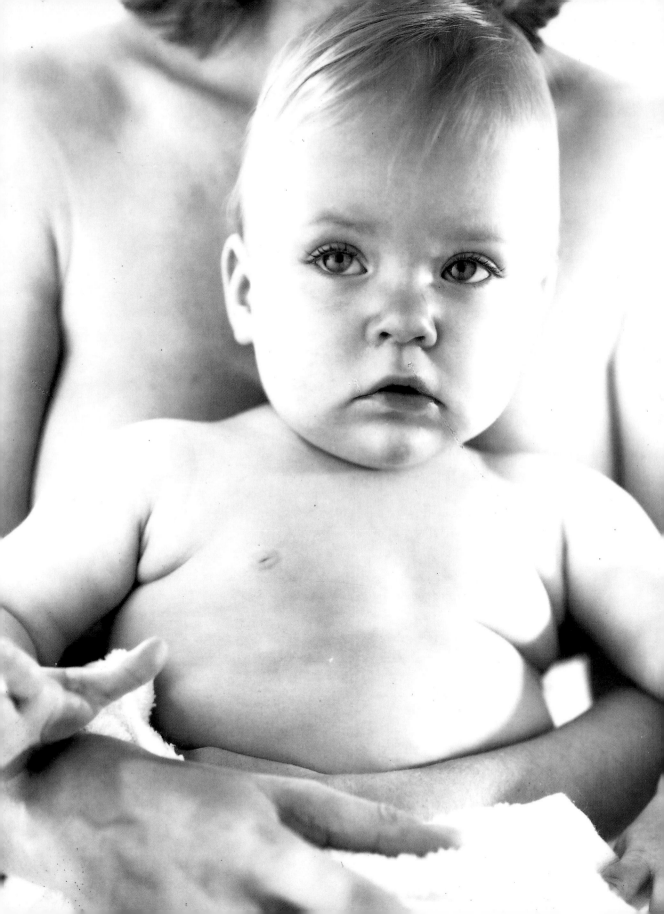

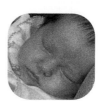

Geneviève Brisac

Geneviève Brisac est écrivain. Cette normalienne, agrégée de lettres, a enseigné quelques années avant de se tourner vers les livres. Elle a publié cinq romans dont **Week-end de chasse à la mère**, *prix Fémina en 1996.*

Elle écrit pour les enfants à L'École des Loisirs où elle dirige une collection pour adolescents, et collabore également aux pages littéraires du Monde. Elle est mère de deux filles, Nadia, 20 ans, et Alice, 15 ans.

Le conte qu'elle a imaginé raconte la bravoure des mères déchirées entre l'envie de protéger et celle de laisser vivre.

L'intrépidité des mères

Au milieu de la rue de la Lune, dimanche matin. La mère et la fille ont gagné à la loterie une petite bouteille jouet, une bouteille d'alcool bleu, un flacon de verre. N. court, fière de son butin, elle court en zigzag, elle va tomber.

Il ne faut pas laisser les enfants courir dans les rues en pente le dimanche ; les petites filles ne doivent pas courir dans la rue, une bouteille de verre à la main. N. tombe, le sang coule de sa tête. La mère en est sûre, par sa faute, l'enfant a l'œil crevé, elle restera aveugle ; le sang coule et la mère retient son cri, et son cœur, et la sueur qui coule de son front. À tâtons, elle relève et apaise la petite fille, et essuie le sang qui coule de la blessure juste au-dessus de l'œil gauche, juste au-dessus.

Il ne faut pas laisser les enfants courir. Mourir est si vite fait.

Telle est l'intrépidité des mères. À chaque instant, choisir de ne pas crier gare, de ne pas crier au loup, ne pas crier du tout.

Dire à la petite fille : « Vas-y, cours, tu es la meilleure, tu es la plus forte, relève-toi, défie et découvre le monde. Tu peux le faire. Tu peux tout faire. » Cette intrépidité, comme une liberté fraîchement conquise, cette intrépidité qui bâillonne la peur est un courage bien plus terrible que le courage de ceux qui ne connaissent pas la peur.

Car les mères, justement, savent que le danger est là, au croisement de chaque chemin. Elles seront toujours tenues pour responsables, et ce sera toujours leur faute, mais elles savent qu'il faut aller au-devant de ces accusations inévitables, les défier à leur tour. Pour que leurs filles aient, chevillée au corps, cette confiance dans leur vie qui, jusqu'ici, leur avait été petitement distribuée.

Sur la falaise, la vue est plus belle qu'en bas. Les pins se balancent et la mer étincelle. « On appelle cela des moutons », dis-je à N. Elle me croit à moitié. Déjà, elle raisonne quand je divague, elle s'appuie sur mes doutes pour construire des convictions, elle se renforce de mes faiblesses, j'aime à le croire.

Le chemin des douaniers zigzague, les lézards se prennent pour des crocodiles, les mouettes font leur numéro. Nous grimpons le sentier, N. est sur mes épaules.

Je lui montre un bateau de pêche auréolé d'oiseaux noirs, je trébuche sur un caillou, je tombe à genoux, et mon genou s'ouvre largement.

Pour redescendre, N. me tient solidement.

« Comme ça saigne, dit-elle. Nous allons à l'hôpital. »

« D'accord », dis-je, prise en main.

« Est-ce que je peux regarder ? dit l'enfant qui a trois ans peut-être. Est-ce que je peux regarder pendant qu'ils te recousent ? »

L'aiguille entre et ressort, ils ont pris un gros fil vert pour faire quatre points de suture, et son attention m'aide à ne pas avoir peur.

« Tu vois, ça ne fait pas tellement mal », dis-je.

« Tu peux pleurer, si tu veux, dit-elle. Tu vas avoir les genoux verts les plus beaux du monde. »

Et nous avons chacune nos cicatrices, les mères et les filles, et tant d'autres et tant d'autres.

Juliette Swildens

Juliette Swildens est la plus jeune femme de ce livre. Elle

est née le 7 décembre 1970.

Elle est styliste, a créé sa propre entreprise, 1 et 1 font 3, en

1996, et ouvert des boutiques de vêtements pour futures

mamans. Dans la famille, on aime les enfants et la mode

puisque sa mère a fondé, il y a quelques années, Bonpoint.

Juliette a donné naissance à Louise, le 16 octobre 1997, petite

balance qui a inspiré à sa maman ce texte en mouvement...

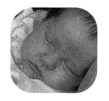

J'aime, je n'aime pas

J'aime sentir mon bébé se prendre pour Zidane ou Tyson et voir mon ventre se déformer.

Je n'aime pas m'endormir à table au beau milieu d'un dîner pour les clients de mon mari.

Je n'aime pas non plus vomir après un repas que ma belle-mère a amoureusement préparé.

Je n'aime pas attendre huit heures sous péridurale et regarder mon mari s'endormir en lisant *Paris-Match*.

Je n'aime pas que les infirmières viennent prendre ma température à six heures du mat et tiennent absolument à changer ma poubelle à six heures et demie, je ne comprends pas.

Je n'aime pas le lait en poudre. Ça signifie la fin de l'allaitement et, en plus, je me trompe tout le temps dans le comptage des cuillères.

J'aime voir ma fille prendre mon sein pour se nourrir, même si elle n'y est jamais vraiment parvenue.

J'aime raconter que j'ai pris vingt-cinq kilos pendant ma grossesse à cause de tous les gâteaux que j'ai avalés, et qu'on me réponde : « Wouah, tu es mince », alors que je sais très bien que ce n'est pas vrai.

Je n'aime pas qu'on dise : « C'est le portrait craché de son papa », alors que son papa mesure 1,95 m, chausse du 47, et qu'elle n'a ni cheveux, ni barbe, ni poils sur le torse.

Je n'aime pas regarder un 501 sans pouvoir le mettre, alors que mes copines en portent toutes quand elles sortent de l'hôpital.

Je n'aime pas que les voisins du dessus fassent du bruit à quatre heures du mat, d'abord parce que c'est moi qui passe pour une dingue à hurler : « Silence, y a un bébé qui dort !!! », en tongues dans la cour, et puis aussi parce qu'il n'y a pas longtemps, c'était moi qui faisais la java à cette heure-là.

J'aime quand, le matin, elle installe son oreiller entre nous et qu'elle caresse les cheveux de son papa en buvant son bib.

J'aime que « Madame la Bouchère » me dise que ma mère est passée, très fière avec la poussette.

Je n'aime pas les crottes de chiens sur les trottoirs et les voitures garées sur les clous, en me promenant avec la poussette. À croire qu'ils m'attendent.

Je n'aime pas que ma fille dise « Papa ? » quand je rentre dans sa chambre pour lui dire bonjour, alors que c'est toujours moi qui me lève.

J'aime voir Louise faire une crise de nerfs parce qu'elle veut mettre ses chaussures à barrettes rouges et pas les marron. Et puis c'est tout !

Je n'aime pas les personnes qui disent : « Moi, quand j'aurai des enfants, je serai plus cool que toi… » On verra.

J'aime quand ces mêmes personnes font leur mea-culpa après le premier enfant et me disent que j'avais raison !

Je n'aime pas que ma petite fille fasse des cauchemars, mais j'aime tellement qu'elle se réfugie dans mes bras pour se rassurer.

J'aime arriver à l'improviste et entendre les éclats de rire de Louise avec sa nounou.

Je n'aime pas les sales pigeons qui viennent tout le temps sous les bancs picorer les miettes tombées pendant le goûter.

Je n'aime pas qu'on me dise : « Comme il est mignon », quand elle est habillée de rose avec une barrette dans les cheveux.

J'aime quand mon mari dévore sa fille des yeux et qu'il me dit qu'il est « bien amoureux d'elle ».

Je l'aime, je les aime.

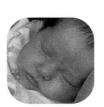

Edwige Antier

Ancienne interne des hôpitaux de Paris, Edwige Antier est

devenue l'une des plus célèbres pédiatres de France. D'origine

toulonnaise, elle a passé son enfance à Saigon et a exercé une

partie de sa carrière en Nouvelle-Calédonie. C'est là-bas

qu'elle a mis au monde Édith, sa deuxième fille, aujourd'hui

âgée de 26 ans. Régulièrement invitée sur les chaînes de

radio et de télévision, elle est également l'auteur de Attendre

mon enfant aujourd'hui, un best-seller chez les jeunes

mamans. Mais pédiatre ou pas, Edwige Antier n'en est pas

moins une mère que l'angoisse n'a pas épargnée...

Mon si fragile bébé : passion et solitude

Tu es dans mon cœur depuis l'aube de mon enfance, aussi longtemps que puisse remonter mon souvenir, alors que je courais dans les vérandas de notre maison coloniale au milieu des rizières. Mes poupées m'inspiraient déjà le désir de transmettre la vie, et ma sœur aînée en jouant me faisait croire que mon poupon avait bougé, comme s'il vivait. Chaque jour après l'école, dans la même tiédeur tropicale que tu connaîtras plus tard enfant, je partageais les cours que ta grand-mère donnait à toute une famille de petits Chinois, les Lam Kiêt, et je l'écoutais construire les jeunes esprits. Comme tu le verras, comme tu le vivras , mon bébé, j'étais tombée dans la « marmite-à-soigner-et-instruire-les-enfants », je brûlais de devenir maman. Et quand je décidai, à 17 ans, de devenir médecin, ce fut, dès le début, pour devenir médecin d'enfants.

Dès que j'eus passé mes concours, jeune mariée avec ton père alors étudiant en médecine, grandi comme moi sous les tropiques, avoir un bébé fut une chose évidente. Et commença une aventure dont, même à l'aube de ma pédiatrie, je ne pouvais imaginer la dimension galactique : je devins mère, ta mère, une mère passionnée. Car je découvris l'immense solitude, sublime, secrète, intime, réservée à son unique bébé, que vivent certaines mères, et que je connaîtrai, plus que toute autre.

Les femmes mélanésiennes m'avaient montré les ruisseaux qu'il ne faut pas enjamber, les cailloux sur lesquels il ne faut pas marcher pendant la grossesse, de crainte d'être coupable de telle ou telle anomalie du futur bébé. Mais ta maman avait de quoi nourrir mille fois les terribles inquiétudes qui habitent toute femme enceinte, car mes fonctions d'interne en pédiatrie m'obligeaient à accumuler les nuits de réanimation néonatale : combien de nouveau-nés en détresse ai-je dû réanimer en les intubant, les ventilant, soutenant leur petite tête encore humide qui venait effleurer mon ventre rond de toi… Seule à réinsuffler la vie, seule portant ta vie en moi. Personne alors, ni ma famille ni les médecins, n'avait cure des sottises qui peuplent la vie imaginaire d'une future maman. Pour ta naissance, je choisis bien sûr une grande maternité parisienne avec service de réanimation. Tu poussas un cri triomphant, et n'eus pas besoin de gestes spécialisés. Mais tu y contractas une violente diarrhée. Tout le monde balaya mes angoisses de mère, et en plus pédiatre. On me laissa sortir avec toi, mon bébé, très malade. J'ai alors compris que j'étais le seul pilote à bord. Émotion et solitude extrêmes.

Cette atmosphère a contribué à ce quelque chose de particulier qui est en moi et qui m'est reconnu : la façon différente d'écouter les mamans.

Quand déjà bien née, tu te fus relevée de tes perfusions, tu incarnas vraiment à mes yeux la septième merveille du monde. Mais à mon hypnose maternelle s'ajoutait un sentiment de fragilité. Maman, je m'émerveillais de chacun de tes gestes. Pédiatre, je guettais l'éclosion du moindre de tes inconforts. J'ai ainsi certainement favorisé chez toi cette toute-puissance fébrile exercée par les bébés sur leur maman anxieuse. Comme la plupart des mères, je chercherai inlassablement l'équilibre entre le « trop en faire et le trop peu », mais toujours avec une attention passionnée.

Ma petite Sandrine, tu me combleras : je devinais ce que toute femme ressent depuis la nuit des temps, l'importance du lien entre la mère et son bébé. Tu m'interpellais par ton sourire, par ton petit doigt tendu, il fallait tout te montrer, tout te dire, tout t'expliquer ; ton regard si bleu se cramponnait au mien, tu me déclarais pour tes trois ans : « Je t'aime fort comme le ciel. » Je sentais combien je nourrissais à tout jamais ta vision du monde. Tu ne le verrais plus qu'à travers ce prisme des premiers mois, des premières années. Nous étions dans une sorte de fascination mutuelle…

Lorsque j'attendis ta petite sœur, j'étais sereine, tu m'avais apaisée, donné confiance en moi, en ma capacité de mère, et je décidai d'accoucher dans une clinique de bonnes sœurs à Nouméa, en faisant pousser les hauts cris à toute la communauté hospitalière parisienne. J'allaitai Édith, pour la protéger. Tu m'avais tant appris, déjà ! Et vous, mes deux filles, alliez me donner le plus palpitant des bonheurs.

Vous êtes grandes maintenant, brillantes, battantes. Même si j'ai été avertie très tôt de l'inéluctabilité de notre séparation, je me sens à jamais tapie en vous.

Christine Orban

Mariée à l'éditeur Olivier Orban, Christine Orban est mère de deux garçons, Roman, 9 ans, et Milan, 6 ans. Romancière et journaliste, elle a publié cette année un nouveau roman intitulé **L'Attente.**

Je ne voulais pas d'enfant...

Je ne voulais pas d'enfant... pour diverses raisons : je ne me trouvais pas assez adulte, pas assez finie... En fait, je n'avais pas encore rencontré l'homme qui balayerait toutes mes frayeurs et transcenderait mes réticences.

Grâce à lui, la maternité n'était plus cet état mystérieux qui gonfle et difforme le ventre des femmes, mais qui les habite... Attendre un enfant, c'est être pleine de l'homme aimé, prolonger l'acte d'amour et, quand l'enfant se détache du corps, c'est transformer l'éphémère en réalité. L'amour a un visage. Pour moi, il en a deux. Les deux petits visages se prénomment Roman et Milan. Roman, comme un roman d'amour, Milan, comme ses ancêtres d'Europe centrale. Deux petits garçons que je ne voulais pas aimer aveuglément parce qu'ils étaient mon œuvre, pas comme un livre ou un collage, trop narcissique. Et puisque, cette fois, « mon œuvre » avait une âme, qu'elle émettait des petits sons, diffusait une chaleur, une odeur à nulle autre pareille, elle devait exister indépendamment de moi : deux petits mâles qui, de ce fait, m'aideraient à mesurer notre différence.

Bien sûr, j'ai traqué les ressemblances pour accrocher mon amour à une personne déjà aimée. Bien sûr, j'ai serré contre moi leurs petits corps chauds et vigoureux, et j'en ai ressenti tout le bien-être, mais sans me laisser emporter : je voulais connaître leur personnalité, être séduite.

Bien que mon fils, je veux l'aimer parce que c'est lui, Roman, et lui, Milan ; parce que malgré tout, je préfère penser que nous nous sommes choisis... Je me souviens de leur premier regard sur moi, un regard scrutateur comme si eux aussi cherchaient à savoir où ils étaient tombés. Je me souviens de leur premier sourire, magique comme un lever de soleil après une longue nuit, et chaque fois, j'ai su que c'était gagné. Une histoire d'amour commençait.

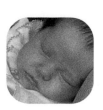

Florence Schaal

Licence de droit, licence en sciences de l'information, Institut français de presse et un D.E.S.S. de sciences politiques en poche, Florence Schaal intègre TF1 en 1977 et y fait la plus grande partie de sa carrière avec quelques incursions sur d'autres chaînes.

Elle y a occupé les postes de grand reporter, présentatrice du journal de 23 h, chef du service « Vie moderne-Économie ». Elle est aujourd'hui éditorialiste et rédacteur en chef spécialiste des sujets éducation et jeunesse.

Florence Schaal est aussi l'auteur d'un livre sur l'adoption, Recherche enfant passionnément, qui lui a valu de recevoir, le prix « Vérité », en 1997.

En décembre 1993, Florence a rencontré une petite fille abandonnée devant la porte d'un orphelinat de Saigon. Elle avait à peine 6 mois.

La rencontre

Une odeur aigre flottait dans la nursery. Comment appeler cela une nursery d'ailleurs ? Un lieu de survie plutôt. Pour une douzaine de bébés, les sœurs ne disposaient plus que d'une seule boîte de lait qu'elles mélangeaient précautionneusement à de l'eau de riz. Un ventilateur poussif ne dissipait ni la moiteur de l'air ni les relents d'urine. Laver les couches était une hygiène inaccessible. On les rinçait simplement.

Je n'entendais aucun bruit, pas même de pleurs. Les bébés n'en avaient plus la force. Et celui-ci, tout emmitouflé dans des lainages par 30 °C à l'ombre, une tradition vietnamienne, qui ne me quitte pas des yeux.

Je le prends dans mes bras : plus léger qu'une plume. Il est grand pourtant : « Mais quel âge a-t-il, ma sœur ? »

« Ce n'est pas un garçon, c'est une petite fille. Elle est chez nous depuis un mois. Elle a été laissée devant la porte de l'orphelinat. Ce n'était déjà plus un nouveau-né… »

« Petite, petite, pauvre petit bout de chou… » Je lui parle doucement pour ne pas l'effrayer. Elle s'abandonne à mes bercements, ses yeux toujours accrochés aux miens.

« Madame, madame, elle est peut-être adoptable, peut-être adoptable. » La main de madame Qhui, l'interprète, tout excitée, me tire par la manche. Elle… peut-être. Instinctivement, j'ai un mouvement de recul. C'est un vrai petit monstre. Un visage émacié, des jambes arquées avec des pieds tordus, des croûtes purulentes et tous ces boutons partout. Elle n'a pas de cheveux, le crâne tout aplati et elle sent si mauvais. Mais, pourquoi j'aurais une petite fille comme elle alors qu'il y a tant d'autres bébés dans la nursery qui ont l'air en meilleure santé ?

Affolée, mes yeux cherchent autour de moi. Mais non, Florence, tu n'es pas dans un supermarché, on ne choisit pas un bébé comme un pot de confiture. C'est elle, avec ses grands yeux noirs qui m'aspirent, que les sœurs

m'ont mise dans les bras. Elle et pas une autre qui s'est abandonnée à moi, qui me regarde avec une telle confiance. Elle qui m'a déjà choisie, idiote que je suis ! Et quel beau sourire as-tu et comme, toute fragile, tu as vite trouvé ta place au creux de mon cœur. En quelques secondes, elle est devenue le plus merveilleux bébé du monde, elle est devenue mon bébé.

« Regardez ses mains, comme elles sont fines !... Et ses yeux ! Mon dieu, quels grands yeux tu as. Mais tu pleures… quelle voix. »

Oui, oui, tu as raison. Crie de toutes tes forces, je vais me battre pour toi. Je vais les convaincre que je dois devenir ta maman. Je renverserai les montagnes s'il le faut.

« Quel est son nom, ma sœur ? »

« Bao Thû », littéralement « Splendeur d'automne ». Mais oui, petite crevette, tu es une splendeur, mieux encore, une princesse, ma princesse.

Vite, vite, la laver, lui enlever ce méchant pus, trouver un désinfectant, une pommade, aller chercher du lait, plein de boîtes de lait pour tous les bébés. Vite, vite, lui mettre une couche propre, enlever ces lainages étouffants et puants. Je m'affole, elle rigole. Elle a déjà compris que le monde, mon monde allait tourner autour d'elle. Ma beauté, ma princesse qui avale si impérieusement son premier biberon de vrai lait. Et quand je pense que j'avais peur de ne pas savoir. Ma princesse dirige déjà la manœuvre, des gouttelettes de sueur autour de ses lèvres, et quand, petit à petit, ses yeux se ferment et ses bras se détendent en croix, les paumes totalement ouvertes vers le ciel, toutes les années précédentes, ces années d'attente et de déceptions sont gommées comme par enchantement.

« Pourquoi vous obstinez-vous, madame ? Cette enfant est malade. Elle a très peu de chances de survie. Vous savez, ici, l'hépatite B est la première cause de mortalité. »

Chaque mot du docteur me perce le cœur, me vrille la tête.

Horrible découverte, alors que tout est si parfait, que Bao Thû prend de si bonnes joues, qu'elle rit avec tant de bonheur à toutes mes idiotes facéties et accepte mes milliards de bisous à chaque fois qu'un vilain bouton est éliminé à grand renfort de pommades. Et ce docteur, du haut de ses prestigieux diplômes, qui m'annonce qu'elle va mourir avant l'âge de dix ans, sans même daigner l'examiner.

« Cela est inutile, madame. Les analyses sanguines me suffisent. Non seulement, elle est porteuse du virus, mais elle développe déjà la maladie. Soyez réaliste. Vous pourriez adopter un autre enfant. Il y en a tant ici qui ont besoin d'une famillle. »

Chacun de ses mots est aussi un fer rouge sur Bao Thû. Traiter ma princesse comme une marchandise à jeter ne fera que renforcer mon amour pour elle. Depuis deux semaines que nous nous étions rencontrées, mille liens s'étaient tissés. Ses gazouillis de bonheur quand encore et encore il fallait la promener sous les feuilles dansantes des arbres. Le poids de sa tête reposée dans mon cou. Sa petite main agrippée à moi dès le premier jour. Et ce cri, ce cri terrible, interminable, la première nuit où j'avais pu la sortir de l'orphelinat. Un cri primal venu du fond de sa mémoire. Elle basculait dans un autre monde. Petit être désarmé confronté de nouveau à la séparation, à l'abandon, arraché au cocon rassurant créé autour d'elle depuis deux mois à la nursery. Elle naissait à nouveau en hurlant sans fin. Il avait fallu des heures pour la calmer, la rassurer, la réconforter. Cette nuit-là, n'était-elle pas devenue ma fille ?

Tout s'entrechoque. Les carreaux bleus et noirs de l'hôpital valsent dans ma tête. La décision la plus terrible de ma vie.

La garder ? Et ramener à Bernard une enfant condamnée, à son père qui, là-bas en France, ne sait pas encore. S'engager dans un cortège d'angoisses, d'hôpital en hôpital. S'imposer une vie défaite. Au nom de quel sentiment du devoir, faudrait-il porter un tel poids ?

Tu l'abandonnes et le cauchemar prend fin…

Mais mon cœur, lui, crie que Bao Thû est ma fille, comme si je l'avais portée dans mon ventre, comme si elle était ma chair. Cette petite crevette qui a repris figure humaine dans mes bras, comment pourrais-je la laisser et la condamner à une mort certaine dans la nursery de l'orphelinat ?

Hors de question, je l'aime. Je me battrai pour elle. J'ai déjà franchi les incontournables obstacles administratifs du pays, je trouverai en France le moyen de la guérir. Est-ce qu'une mère qui accouche d'un enfant malade l'abandonne ?

Bao Thû, dans son couffin, m'observe tranquillement. Elle attend tout simplement son biberon. Elle sait déjà que toutes mes tergiversations sont vaines et que je serai toujours là pour le lui donner.

Deux ans plus tard, ma princesse m'a fait le plus magnifique des cadeaux : une séroconversion. D'elle-même, elle a éradiqué le virus de l'hépatite, s'est auto-immunisée. Par la magie de l'amour, mon bébé condamné a trouvé le chemin de la vie.

Ines de la Fressange

Ines Marie Laetitia Églantine Isabelle de Seignard de la Fressange est née à Saint-Tropez en 1957.

Mannequin, elle devient l'égérie de Karl Lagerfeld et Chanel. Célèbre, elle incarne Marianne, le symbole de la République. En 1991, elle crée sa propre maison de prêt-à-porter. Ines est la maman d'une petite Nine qui est née le 27 février 1994 et d'une seconde princesse, née en août.

Son témoignage est une lettre ouverte à sa fille, un grand paquet cadeau dans lequel on trouve pêle-mêle un singe Zéphir, des jeux de mots culottés, des valises, de grands yeux étonnés...

Le singe Zéphir

Ma petite Nine, on me demande d'écrire notre histoire… Je pourrais écrire un livre. Raconter comme ton papa et moi, nous t'avons attendue si longtemps, et comme je regardais les « femmes à poussettes » dans la rue avec envie et intriguée que cela fût si facile pour elles. Raconter le jour ensoleillé et béni où j'ai appris par téléphone que j'allais avoir un gros bidon, ton papa rigolo et émouvant à la clinique avec son petit chapeau vert de chirurgien et toi, le plus beau bébé du monde, avec tes grands yeux étonnés.

Les infirmières avaient déclaré que tu étais la plus élégante mais tu méritais tous les superlatifs.

Très vite, il y a eu tous tes bons mots, comme par exemple à ma question : « Cela veut dire quoi *sleep* en anglais ? », tu répondais très fière : « Cela veut dire culotte en français, maman ».

Et toutes tes petites expressions, ton sourcil relevé, le Noï-Noï-Noï que tu as l'air de dire en suçant ton pouce enveloppé dans ce tissu que l'on appelle « toudou », qui lui aussi est un membre de notre famille comme Zéphir le singe si souvent perdu et retrouvé.

Mais tu sais Ninotchka, c'est facile de faire la maligne lorsqu'il s'agit de décrire une collection et ses sources d'inspiration, philosopher sur l'importance du mascara dans l'histoire de la Ripolinerie, évoquer les grands moments de la création du chiffon en général, car je sais comme tout cela est frivole et provisoire. Mais toi, mon bout de chou, ton papa et ta future petite sœur (qui commence à trépigner à quatre mois de vie… Botero fœtal…), hé bien, avec vous, voilà je n'y arrive pas !

Je n'ai pas envie… Et Dieu sait que je t'aime mais je n'ai pas le talent pour décrire cet amour-là.

Heureusement, toutes les mamans du monde me comprennent et ces jolis petits mollets potelés que l'on ne peut s'empêcher d'embrasser, cette première fois où l'on entend « maman », les nuits où elles se réveillent titubantes, épuisées mais immédiatement attendries par les petits pyjamas « naissance » que nous garderons toujours dans des boîtes en carton, tout cela est si doux, si important, tellement mieux que tout.

Zut ! Il est déjà huit heures et je suis encore au bureau, et toi tu m'attends (« Maman, pourquoi t'es jamais là à l'heure des mamans à l'école ?!!! »).

Ce soir en plus, nous avons un avion à prendre et je n'ai pas terminé les valises (penser à y mettre Zéphir…).

Mais tu sais, ma Ninotchka, demain matin après la plage, nous pourrons faire toutes les deux la sieste ensemble, cramponnées comme lorsque tu étais un tout petit bébé et je te promets que je n'irai pas au bureau après…

Ton papa et ta maman t'aiment, nous le penserons, nous le dirons et nous te le montrerons toujours.

C'est quoi déjà le numéro de la G7 ?

Marlène Jobert

Actrice aux plus célèbres taches de rousseur, Marlène Jobert

a été choisie par les plus grands : Deville, Godard, Pialat,

Audiard, Chabrol ou encore Louis Malle. Une trentaine de

films qui l'ont rendue inoubliable.

Elle se consacre depuis quelques années à l'écriture de

contes pour enfants. En 1980, elle a donné naissance à deux

petites jumelles, Éva et Joy, et se rappelle...

Impatiente et pas pressée

Dimanche 6 juillet 1980

Il est six heures, le soleil s'est déjà glissé par les fentes des volets mais ce n'est pas ce qui me réveille. Des indices évidents vous annoncent. Je réveille votre père : « Ils arrivent, ils arrivent ! »

« Mais non détends-toi… », me répond-il dans un demi-sommeil et en se retournant.

Je le frappe presque.

« Non, c'est sûr, ils arrivent ! »

« Tu es certaine ? »

Trois minutes plus tard, il me tient la porte de l'ascenseur. Votre père aurait pu être pompier, le saviez-vous ?

L'hôpital Saint-Vincent-de-Paul est à l'autre bout de Paris. Nous traversons la grande ville déserte en dix minutes. Normal, un dimanche de juillet au petit matin. Dire que j'avais tant redouté de devoir faire le même trajet à dix-huit heures en semaine…

Cette journée s'annonce bien. Je suis impatiente de vous voir, de vous respirer, de vous étreindre, de vous sentir de tout mon être, de vous connaître et, en même temps, je ne suis pas pressée de quitter l'état de plénitude dans lequel je vis depuis huit mois et demi. Moi qui, d'ordinaire, suis d'un tempérament soucieux pour ne pas dire angoissé, je n'ai jamais connu de véritable appréhension depuis que je vous attends. Vous porter, vous parler, vous rêver, vous imaginer, vous faire entendre de la grande musique (chacune avait un écouteur de mon walkman posé de chaque côté de mon ventre), tout cela m'emplit d'aise et de fierté. Je suis pleinement consciente de cet état privilégié qui ne dure pas et que je ne vivrai qu'une fois. Bref, je ne suis pas vraiment pressée mais vous demandez à venir, il ne faut pas vous faire attendre.

Les maternités sont toujours en effervescence, tout le monde est surexcité… La césarienne n'était prévue que le mercredi, il faut la faire d'urgence… Tandis qu'on réveille mon médecin accoucheur, la sage-femme qui suit le monitoring m'affirme que vous êtes deux filles. Impossible ! Depuis plusieurs mois déjà, les échographies annoncent au moins un « petit mec » sur les deux… mais deux filles, ça non !

La grande expérience et l'assurance péremptoire de la gentille sage-femme n'ébranlent pas ma conviction. Elle se trompe, elle a impérativement besoin de repos ; d'ailleurs, elle me dit qu'elle doit partir en vacances dans l'heure qui suit. À mon avis, sa tête est déjà loin !

Mon médecin, un homme remarquable qui m'a suivie et soutenue pendant tous ces mois, est mélomane, lui aussi. À peine arrivé, il m'interroge : « Mozart, Haendel ou Vivaldi ? »

Je ne le comprends pas tout de suite… normal… j'ai d'autres choses en tête. Il opère donc en musique. Mes chéries, les premières notes que vous avez entendues « en direct » sont celles du grand Mozart. Entre nous, même si à ce moment-là ce plaisant cérémonial donne un air grandiose à la circonstance, nous n'en avons rien à faire vous et moi. Vous, parce que l'air que vous respirez pour la première fois par vos petits poumons vous fait trop mal pour apprécier celui de Mozart, moi parce qu'au moment où l'on m'endort, mon esprit est hanté par une autre urgence que celle d'écouter de la musique, toute magnifique qu'elle soit.

L'urgence légitime de l'enfantement, et ses terribles doutes. Tout va-t-il bien se passer ? Les bébés vont-ils être « zéro faute » ? Ces questions qui grignotent ardemment nos entrailles maternelles, moi je me les pose deux fois !

Après tout si mon médecin opère quotidiennement, moi je ne fais pas d'enfant tous les jours… Sa noble intention est de me détendre, de me faire oublier les risques éventuels et il y parvient presque en me présentant cet événement naturel comme il doit l'être, simple et heureux.

Il est vrai que toutes les chances étaient avec nous, mes amours, mais cela ne se passe pas toujours aussi bien dans tous les cas.

Au moment où l'anesthésiste me pique, je lui dis en souriant : « Réveillez-moi avant la fin du concerto… Je ne veux pas rater le dernier mouvement. »

Curieux comme je cherche toujours à crâner quand je suis mal à l'aise…
pour dédramatiser peut-être… pour me rassurer sûrement.

La suite, c'est votre père qui me la raconte, un peu plus tard. En blouse tur-
quoise pâle, avec bonnet et chaussons assortis, il a l'autorisation d'assister
au spectacle et de prendre des photos. Vos premières photos, mes chéries.
Comme vous paraissez minuscules et déjà jolies dans les grandes mains de
ce cher professeur.

« Psiiit », chuchote discrètement votre père pour attirer son attention, et il
vous présente tour à tour à l'objectif. Éva d'abord, puis Joy… un prestidigi-
tateur sortant deux lapereaux de son chapeau.

Avant le vrai réveil, j'ai deux secondes de conscience, juste le temps pour
la sage-femme de me glisser à l'oreille : « J'avais raison, vous avez deux
jolies petites filles… »

Au moment de ressombrer, je lui réponds : « N'importe quoi ! Nul, nul, nul. »
Cette phrase innocente, qui fait sourire tout le service, se rapporte aux pré-
visions échographiques erronées. Hélas, je n'ai pas le temps de l'expliquer
à cette charmante sage-femme, déjà partie en vacances.

Quand je me réveille tout à fait, vous dormez, petits anges, sous une cloche
transparente, posée sur une table roulante comme un grand plateau à fro-
mages de restaurant… On appelle cela un incubateur, et on y place tous les
nourrissons de moins de deux kilos et demi pour les maintenir à la même
température que celle de leur ancienne demeure. Il ne te manque que deux
cents grammes Joy, et cent à toi, Éva.

Vous n'êtes pas loin du compte… vos presque cinq kilos posés ensuite sur
moi, me font pleurer pendant toute une heure.

« Tout va bien, m'affirment mes sœurs en riant, tout va bien. »

« Je sais, et c'est pour cela que je pleure… »

Vous êtes magnifiques et déjà si différentes.

Le lundi, les médias ont déjà annoncé votre naissance et vos prénoms, Éva
et Joy. Votre père et votre oncle Guy ont mis à la porte deux photographes
dans l'après-midi. Le soir, dans un sursaut de paranoïa, je décide d'aller à
la nursery pour présenter mes deux merveilles à Dominique, mon impré-
sario, venu me rendre visite, et je change les prénoms sur vos bracelets de

naissance. Pendant quelques jours, je vous rebaptise Aglaé et Anaïs ! De quoi ai-je peur ? Qu'on vous vole ? Qu'on vous échange ? Qu'on vous effraie avec des flashs ?

Je ne sais pas…

Depuis, ces minuscules bracelets sont enfermés dans un coffre avec vos premiers chaussons, vos premières mèches de cheveux, vos premiers dessins, vos premiers billets tendres, vos premiers « tout »…

Votre attente, votre bienvenue dans ce monde et toutes les années qui suivirent… sont les magnifiques séquences du plus beau de mes films…

Et quand votre tour viendra de faire le remake de ce long métrage, vous vous souviendrez comme toutes les mères, comme moi dix-huit ans plus tard, des moindres détails de chaque plan…

Irène Frain

Irène Frain est née à Lorient le 22 mai 1950. Elle a enseigné pendant quinze ans en lycée et à l'université comme professeur agrégé, puis elle a choisi de se consacrer entièrement à la littérature.

Écrivain à succès (Le Nabab, Secrets de famille, Devi ou encore L'Inimitable, son dernier ouvrage consacré à la vie de Cléopâtre), Irène Frain est une amoureuse des mots, une passionnée d'histoire, un authentique écrivain dont la voix vibre quand elle parle de littérature.

Elle est mère d'une jeune femme de 30 ans, Hélène, qui travaille à New York comme styliste.

Sa fille est née en 1969, avant le temps des échographies et de la péridurale.

 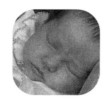   

Quand l'échographie n'existait pas…

J'ai été une très jeune mère. En cette fin des années soixante, l'échographie n'existait pas ; avant la naissance, impossible de donner corps au bébé. Il demeurait, tout le temps de la grossesse, une idée de bébé. Et puis, l'accouchement. Dans la douleur, je passe de l'idée d'enfant à l'enfant. Voilà soudain qu'il a une tête, des cheveux, des bras, des jambes, un ventre, un sexe.

Une fille. Je revis notre première nuit. Le bébé s'agite, geint doucement dans le berceau – une plainte peut-être, un désarroi, un appel, comment savoir, comment déchiffrer le message de cette bouche muette, de ces yeux qui ne voient pas ?

Au fond de moi, tout est révolution. Le lait, second acte de la maternité, prépare sa montée dans la fièvre. Je me penche sur ce visage, ces mains dessinées avec une finesse qui me sidère. Hier encore, fantasme informe au fond de mon ventre, et ce soir, face à moi, hors de moi, tant d'achèvement, de précision… La figure d'un destin. Lequel ?

Vertige. Et prière. Dans la pénombre, je répète doucement le nom de ma fille, j'encourage son envie de vivre. Guider ces mains, ces yeux, calmer ce souffle encore hagard. Caresser, apaiser, adoucir, chanter, bercer, nourrir, baigner… Des jours et des jours, des mois durant, je ne ferai presque rien d'autre.

Naissance de chaque jour, au premier sourire, au premier mot, au premier pas. Un jour, le bébé s'évanouit, fait place au jeune enfant ; et plus tard, l'enfant lui-même s'en va.

Mais cette première nuit, celle où s'est noué le lien, palpite encore au fond de ma mémoire. Mère et fille, à jamais.

Toi, mon Bébé

Maryse Wolinski

Écrivain, journaliste et scénariste, Maryse Wolinski a élevé trois filles, dont une qu'elle a « fabriquée » avec son mari Georges, dessinateur humoriste débonnaire. Elle est l'auteur de onze livres, dont six romans et des contes pour enfants. Elle vit à Paris. Lorsque sa fille Elsa a lu le récit de sa naissance, elle a longuement pleuré.

Fille ou garçon ?

C'est bien toi ! Tu n'étais conçue que dans nos têtes et, déjà, tu savais te faire attendre pour être encore plus désirée. De folles nuits, inspirées par le désir de te mettre au monde, calculées à la minute près pour, pendant deux bonnes années, n'enregistrer que des résultats négatifs.

Tes futures sœurs, nées d'un premier mariage de ton papa, trépignent.

« Alors ! vous deviez nous faire un bébé ! C'est quoi cette plaisanterie ! »

Ton papa se retourne vers moi : « C'est vrai, et ce bébé ? »

« Pas là, mais c'est pour bientôt. » Je souris, sûre de moi.

J'avais raison (comme toujours !), tu as pointé le bout de ton embryon.

Au début, quelques légers malaises et une certaine lassitude m'alertent.

Peut-être que ça y est... Que je suis...

Je choisis de me taire et de ne plus y penser. Par prudence. Je me contente d'observer l'évolution de la situation.

Un matin, je me regarde nue dans le miroir : je n'ai plus les mêmes seins. Ils étaient pointus, ils sont devenus ronds et pleins. Et ma taille si fine qui s'épaissit ? Et ce goût âcre dans ma gorge ? Et cette sensation de vaciller ? Non, ce n'est pas une sensation, je vacille vraiment.

J'informe ton papa de ces symptômes : « Éventuellement, il y aurait une possibilité pour que cette fois soit la bonne... »

« Pour que quoi ? » répond-il, sans lever la tête de sa table à dessin.

L'odieux ! Il n'est pas branché sur la seule longueur d'onde possible en ce grand jour.

Le chéri est débordé. Concentré sur sa feuille, il cherche une idée pour le dessin qu'il doit livrer au *Journal du Dimanche*. Pour l'instant, il est sec...

Inutile de se lancer dans des explications, il n'entendra pas. J'enrage mais ne dis mot. Je n'ai pas de temps à perdre. Je cours à la pharmacie.

« Un test de grossesse, s'il vous plaît. » Je n'ai jamais été aussi fière.

Retour à l'appartement. Dans la salle de bains contiguë à la chambre, sous

l'œil, cette fois attentif, de ton humoriste de père, j'étudie les indications du mode d'emploi.

Encore vingt-quatre heures de suspense. Nous nous endormons dans les bras l'un de l'autre.

Le lendemain. Test positif. Cris de joie, embrassades et larmes. Je l'ai, mon bébé. Champagne, caviar et souvenirs au menu.

Souvenirs de ces quelques jours passés sous le soleil romain où nous t'avons conçue, la veille ou le lendemain de Pâques.

Ensuite, neuf mois à te dorloter en pensées et en paroles. Nous considérons que tu es déjà parmi nous, et nous te parlons, ou bien nous te faisons écouter de la musique.

Nous sommes dans les années soixante-dix et l'examen échographique ne permet pas encore de distinguer le sexe du fœtus. Toi, tu es nichée bien en haut dans mon ventre, bien en avant, faisant croire jusqu'au bout, et même aux médecins qui m'entourent, que tu es un garçon. Je reconnais là ton sens de la farce. Surprise réussie. Quel tabac !

Cependant… avant la surprise, nouveau suspense. Au dernier moment, tu choisis de t'installer dans la plus mauvaise position pour apparaître à la vie. Attente. Se faire attendre pour être plus désirée. Cela commençait à être une habitude. Une habitude que tu as cultivée par la suite.

Moi, j'en avais assez de continuer à imaginer, avec tes sœurs et ton papa, ce que tu pouvais être. Un petit blond aux yeux bleus comme tes deux grands-pères, le Français et le Polonais. Un brun très catalan, ou très italien, ou très tunisien, comme tes grands-mères et ton père. Une petite rousse frisée aux yeux de jade comme ton arrière-grand-mère que j'ai tant aimée…

Non ! Dans mes rêves, il n'y avait personne d'autre que toi. Mon bébé nourri de ma chair et de mon sang, sans sexe et sans visage. Simplement toi. Un bébé qui toquait à la porte, mais plus je lui expliquais que tout était prêt pour l'accueillir, que nous étions impatients, plus il prenait son temps pour faire son entrée de star. En fait, tu profitais encore un peu du divin bonheur d'être un fœtus et tu ne te retournais toujours pas dans le sens de la sortie. Avec les mains, je dessinais des tourniquets sur mon ventre pour t'expliquer que tu devais te mettre dans l'autre sens.

Paris avait pris sa couleur de l'hiver et nous approchions du terme.

« Vous êtes très étroite de bassin », annonce le médecin accoucheur très encourageant, « vous allez souffrir. »

« Comment ça souffrir ! Je me suis préparée à l'accouchement sans douleur, ce n'est pas pour souffrir. »

« Non, jamais ! » répond la militante féministe qui se bat contre cette idée archaïque de la douleur imposée aux femmes.

« Nous pouvons intervenir », propose le médecin.

« Oui, mais le plus tard possible. » Soudain, je suis affolée de grignoter quelques jours de gestation à ma progéniture.

Ainsi, j'allais décider de l'heure de ton apparition. Enfin… pas vraiment ! Tu devais naître le jour de Noël et je proposais donc le 24 au matin. Il en fut autrement. Monsieur le grand professeur, qui avec attention et compétence avait suivi ton évolution et comptait bien découvrir avec moi le beau garçon que tu allais être (il y tenait…), désertait Paris pour prendre des vacances. Nous devions nous mettre d'accord sur une date qui lui conviendrait.

Voilà comment, par sa faute, je t'ai volé quelques jours de bien-être dans ton logis de fœtus.

Ensuite. Clinique. Bloc opératoire. Une dernière fois, je touche l'arrondi de mon ventre. Regrets…

Retour dans la chambre avec lumière blafarde.

J'ouvre un œil. Au même instant, tu ouvres l'un des tiens. Un œil noir, velouté, avec les cils qui battent. La machine à séduction fonctionne déjà ! Des cheveux d'une couleur incertaine, tirant vers le châtain. Mais quel sexe as-tu ? Impossible de voir avec tes couches et ta barboteuse de petit poussin. Une infirmière entre.

« Madame, pouvez-vous me dire s'il s'agit d'une fille ou d'un garçon ? » lui dis-je, désignant le bébé dans le berceau.

« Euh… je ne sais pas. Faut que je demande », répond-elle avec une scandaleuse indifférence.

Elle note ma tension, reprend son matériel et s'en va.

Nouveau suspense. Toi, tu ne me quittes pas de ton œil noir de velours.

Quelqu'un frappe à la porte.

« Je me suis trompé ! » s'exclame le grand professeur. « C'est une fille ! Et quelle fille ! »

Une fille ! Toi seule sais l'expression de mon visage au moment où l'on m'a annoncé ton sexe. Moi-même, je ne sais pas. Trop heureuse de l'avoir, mon bébé.

Mettre au monde un bébé tant désiré, avec un homme que l'on aime… Quelle chance nous avons eue tous les trois !

Quelle chance tu as ! Quel aplomb cela t'a donné !

Avant de partir, le médecin te prend et te pose contre moi. Il sort discrètement. La porte se referme.

Ce moment tant attendu. Notre premier tête-à-tête. Cette peau contre la mienne. Cette odeur inoubliable. Ce regard velouté qui n'en finit pas de me scruter, ce chef-d'œuvre enfanté par moi, sorti de mon corps. Ce sentiment de grande plénitude.

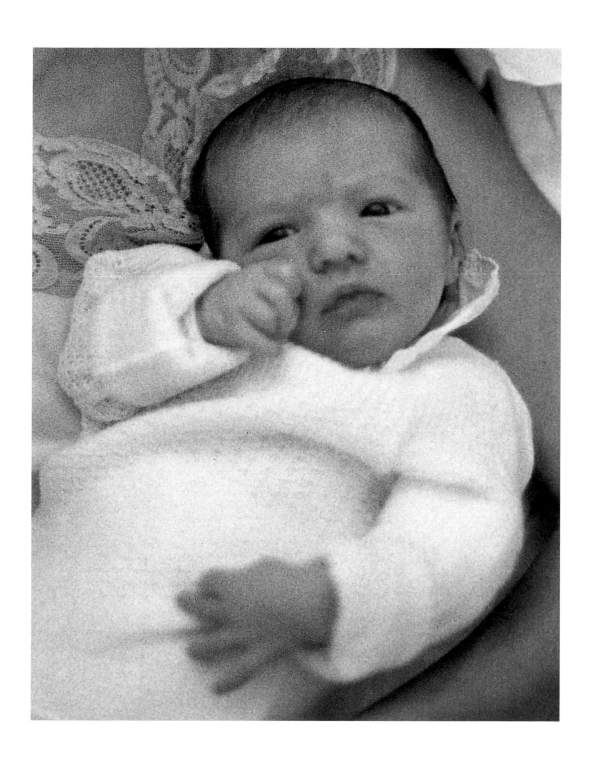

Christine Richard

Christine Richard est journaliste et productrice à la télévision (France 3). Elle vit à Paris avec ses trois bébés déjà grands : Damien, 19 ans, Bella-Pia, 9 ans, et Malcolm, 7 ans. Ses souvenirs lui ramènent des odeurs inoubliables dont une en particulier...

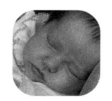

Les effluves de Mustela

Toi, mon bébé ? Toi, oui, toi multiplié par trois. Chaque bébé est unique et, pourtant, mes émotions ont été à chaque fois pour vous trois à l'identique. De la naissance aux premiers pas. Je l'avoue, je ne vous ai sans doute jamais autant aimés, contemplés, admirés, caressés, écoutés, que durant ces premiers mois. J'étais spectatrice silencieuse, subjuguée devant tant de grâce, d'innocence, de confiance. Évoquer ces moments ô combien fugaces me met littéralement en transe, m'accable de regrets et ne peut m'éviter ce stupide lieu commun : comme les chatons, les bébés ne devraient jamais grandir. Jamais. Mais que fait donc la science ?

La nostalgie et la tendresse me submergent dès lors que j'ouvre vos albums de photos. Tout revient instantanément : les images, les odeurs, les sons, sont inscrits de façon indélébile en ma mémoire.

La sortie de la clinique, petite boule d'amour, fragile, si fragile, bien chaude, lovée au fond du couffin, que l'on a peur de voir affronter l'hostilité urbaine.

Le premier bain (atroce) qu'il faudra bien se résoudre à donner, dans le lavabo dans un premier temps de peur de vous noyer.

L'émerveillement qui s'ensuit, face au miracle : les petites oreilles parfaitement dessinées et collées, les cheveux fins comme de la soie, peignés, plaqués et délicieusement parfumés, les pieds aux doigts écartés qui ne sont pas sans rappeler les pattes de grenouille, les plis des cuisses que l'on se retient de dévorer.

Et puis, il y a ces rendez-vous immuables pour toutes les mamans du monde dont les effluves de Mustela me picotent encore les narines. Ces rendez-vous bisous dans la moiteur du cou et sous le menton, ou encore sur le ventre. Ces moments pulpeusement physiques qui disparaîtront par la suite, laissant derrière eux quelques remords : en a-t-on assez profité ?

Je vous ai contemplés comme on regarde un tableau de Tiepolo. Le temps n'avait plus d'importance. Je notais tout sur un petit carnet d'écolier : le premier sourire, imaginaire souvent, le souffle régulier d'un sommeil consciencieux, les petits poings serrés, et cet air sérieux pendant le biberon. Sans oublier les yeux embués de reconnaissance après la tétée.

Ah ! mes bébés, comme j'ai hâte de revivre ces instants précieux… avec vos propres bébés.

Clara Gaymard

Clara Lejeune-Gaymard est l'une de ces femmes dont nous nous disons : « Mais comment fait-elle ? » Mère de Philothée, Bérénice, Thaïs, Amédée, Eulalie, Faustine, Jérôme-Aristide et Angelico – oui, cela fait bien huit –, l'épouse d'Hervé Gaymard, ancien ministre et député de Savoie, est également haut-fonctionnaire au ministère des Finances. Elle a écrit deux livres : Histoire des femmes et autres simples bonheurs et La vie est un bonheur. *Elle a 39 ans, on lui en donnerait plus volontiers 17. Clara Gaymard est le contraire d'une superwoman arrogante et sûre d'elle. Son texte raconte les désarrois d'une jeune mère.*

L'esprit de famille

e tee-shirt à rayures est déformé et le jean a pris des allures « des-troy ». Qu'importe, ils restent là, dans mon armoire, comme des témoins que l'on respire à plein nez pour replonger dans les sensations extatiques.

Juillet 1986. Il faut tromper l'attente. Je déambule sur le boulevard Saint-Michel de haut en bas ; partagée entre le désir d'aller vite et celui de ne pas arriver avant l'heure, je lèche toutes les vitrines. J'achète un tee-shirt rayé bleu et blanc sans manches, un jean délavé et une petite ceinture blanche qui marque bien la taille. Fidèle à mon habitude, je sors du magasin habillée de neuf, en balançant dans un sac en plastique mes anciennes nippes. Puis, je descends irrésistiblement vers mon but, tout en bas du boulevard.

Petite mariée d'un mois, je revis la noce en robe blanche dans une ferme de Beauce. Et ma belle-mère retenant en vain ses larmes au moment de la béné-diction finale lorsque le prêtre, dans une formule consacrée, souhaite aux mariés « des enfants qui viendront éclairer le foyer ». Son fils a eu les oreillons à l'adolescence, et s'il ne pouvait pas en avoir !

Il fait très beau dans cet après-midi d'été et le boulevard, moins sale que d'ha-bitude, a soigné ses attraits pour attirer les touristes qui bronzent, toute chair dehors, à la terrasse des cafés. Au petit matin, je suis allée au labora-toire pour faire une prise de sang. Je n'aurai la réponse qu'à seize heures, l'heure du goûter pour les enfants. Mais comment pourrais-je avoir autant de chance ! Tenir une petite main toute potelée et entendre une petite voix qui dira : « Maman », et moi, je serai « maman ». Surtout, ne pas trop espé-rer pour ne pas être trop déçue.

La vie ne m'a pas laissé le temps d'être déçue ! Elle est venue en surabon-dance. Et, à chaque naissance, je taquine ma belle-mère en lui disant qu'elle a trop prié pendant la messe de mariage et qu'elle a été exaucée au centuple. Dire que nos huit enfants, si beaux, si vivants, ont tous grandi dans mon ventre

et à mon sein. Je n'arrive presque pas à y croire. C'est miraculeux. Hervé, quand il est loin de nous, repasse le soir dans sa tête chacun de nos enfants, jusqu'à ce qu'il s'endorme sur un sourire. Le cœur devient si grand chaque jour, dans l'école exigeante de l'amour donné, l'amour reçu.

Conscience brûlante d'une joie imméritée, fragilité de l'instant, de la plénitude de ces vies partagées. Mais aussi rires, colères, disputes, comédies, drôleries, câlineries, partages, et repris c'est volé. Ainsi va la vie.

Douze ans déjà que mon petit bébé, venu de l'obscurité, m'a été enlevé sans que je puisse le toucher. J'ai juste eu le temps de l'apercevoir s'en aller dans les bras d'une blouse blanche et bleue. Elle m'est revenue quatre jours plus tard, douce et câline Philothée. Mais de retour à la maison, j'ai appelé la maternité, totalement désemparée par ses pleurs. J'espérais secrètement que les bonnes assistantes maternelles me la reprendraient pendant un mois, le temps qu'elle démarre dans la vie. Je me sentais incapable d'être mère. Désarroi de quelques heures, si déroutant, si démoralisant. Je ne l'ai jamais oublié.

Moment d'angoisse aussi quand Faustine, emportée par une diarrhée foudroyante, ressemblait à un petit vieillard tant sa peau était fripée. Elle semblait vouloir rejoindre son grand-père, mort treize jours avant sa naissance. Dans le couloir de l'hôpital où je déambule depuis dix jours, je pleure en portant mon bébé si léger, si épuisé. Une puéricultrice au fort caractère m'accoste avec un sourire moqueur et lance : « Encore une primipare qui a le blues. »

« Mais non, madame, c'est ma sixième, elle est malade. »

La corpulente matrone a pris mon bébé et, contredisant toutes les prescriptions du médecin, elle m'a asséné : « Laissez-la-moi et, dans deux jours, vous pourrez rentrer chez vous avec elle. »

Elle a donné des ordres aux puéricultrices de jour, soigné mon bébé la nuit. Dès le lendemain, Faustine avait repris quelques grammes et une certaine vigueur. Nous sommes sorties de l'hôpital le jour dit, comme promis. Merci, pour toujours, merci.

Toi, mon *Bébé*

Il y a les matins de courage, les soirs de lassitude, les moments de panique, les instants de lumière, les éclats de fous rires, la contemplation nocturne des visages endormis, les vivres consumées, les désordres rangés, dérangés, la tendresse en or pur, les caresses par milliers, les bras en l'air des premiers pas, les chaussettes unijambistes, les larmes que l'on sèche, les bobos du cœur et du corps, les blagues de Toto, les « maman, sur la mer, il y a de l'eau ? », et toujours cette petite musique de la vie : « Philothée, Bérénice, Thaïs, Amédée, Eulalie, Faustine, Jérôme-Aristide et Angelico, quel bonheur de vous aimer ! »

Diane Krief

Diane Krief a 32 ans. Elle est mariée depuis cinq ans avec Jean-Marc. Ils ont deux petits garçons, Léonard, né le 5 octobre 1996, et Raphaël, né le 23 février 1999.

Diane travaille dans la parfumerie. Elle accompagne les « nez » dans leur recherche olfactive. Son texte relate l'histoire d'une double création.

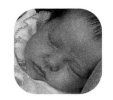

Lettre à Léonard

Mon petit amour,

L'année 1996, celle de ta naissance, a été merveilleuse. Te concevoir, toi, et pendant ces neuf mois, réaliser un grand parfum, c'est une expérience rare. Une double gestation en quelque sorte…

Pour toi, les choses se passaient bien, tu « m'occupais », poussant mon ventre à te faire de la place, tandis que je repoussais les limites des codes traditionnels de la parfumerie, en participant à l'élaboration de ce qu'on appelle un parfum « partenaire », c'est-à-dire un parfum féminin-masculin.

L'attente de ton arrivée a donc été parsemée d'effluves, d'accords délicats ou puissants, de sensations étonnantes puisque, jamais auparavant, je n'avais été sensible à ce point aux odeurs, avec toutes les conséquences désagréables qu'une femme enceinte peut connaître, mais aussi avec toutes les fabuleuses découvertes que cette hypersensibilité permet.

Pour le parfum sur lequel je travaillais, nous avons pratiqué plus de mille essais avant le choix final ; c'est beaucoup. Il fallait tenir le choc, ce qui n'a pas toujours été chose facile.

Peux-tu imaginer, toi, Léonard, que rien ne dérangeait, le cauchemar que j'ai enduré, obligée de respirer certains arômes devenus insupportables ? Le café, par exemple : le voir, le sentir ou le boire me rendait malade. J'avais des haut-le-cœur en humant la coumarine, l'odeur de l'amande ou de la frangipane, bases classiques en parfumerie féminine… Les notes marines, alors très prisées par le public, comme les algues, les embruns ou l'iode me donnaient le mal de mer (mère)… Bien sûr, dans cette logique d'odeurs « exaltées », certaines me semblaient délicieuses. Je m'étais prise d'une passion maniaque pour tout ce qui pouvait illustrer la clarté, la propreté, la délicatesse et la fraîcheur. C'est ainsi que j'adorais *l'Eau d'Hadrien* d'Annick Goutal et *l'Eau parfumée* de Bulgari, et il n'était pas question de me faire apprécier d'autres senteurs…

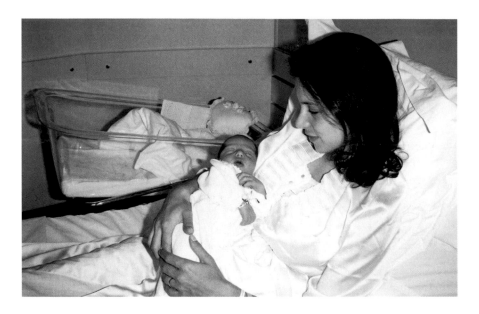

Ma grossesse avait développé mon odorat comme jamais et l'aspect obsessionnel que prenait mon rapport aux odeurs était tout à fait étonnant, démesuré. Je décelais la moindre nuance, j'atteignais des degrés de précision quasi absolue, comme un zoom sur l'odeur. Je me souviens d'une séance d'évaluation d'arômes caramel en Hollande où, instinctivement, je me suis mise à répertorier des dizaines d'arômes en nuances sucrées, vanillées, alcoolisées, boisées, brûlées, sèches, fruitées, vertes, grasses, onctueuses, crémeuses… les classant à toute vitesse, sans hésitation : j'étais devenue un classeur d'odeurs !

Et puis, tu es né. Je suis alors rentrée dans une période de « non-odeur », réfractaire à tout autre parfum que celui de ta peau que j'humais des heures durant. Cette odeur éphémère de chaleur et de bien-être au contact de laquelle je décollais immédiatement en ayant l'impression de voler au cœur d'une bulle de tendresse. C'était merveilleux !

Les premiers temps, je glissais tous les soirs dans ton berceau un lange que j'avais préalablement imprégné de ma « signature » corporelle pour que, toi aussi, tu profites pleinement de cet échange parfumé, bien plus qu'un échange, un lien intime et profond.

Plus tard, c'est avec ton « petit ours cousu », comme tu l'appelles, que tu as prolongé cette émotion.

Le parfum tant attendu a lui aussi vu le jour, et je me suis mise à imaginer une autre fragrance. Un parfum de bébé, que tu m'as inspiré, Léonard. Je t'en livre la composition. Des notes pures et fraîches, telles que la verveine et le pamplemousse pour la douceur et la pureté d'un bébé, un peu de pêche-framboise pour la rondeur et le velouté de la peau, du musc de synthèse pour traduire l'odeur très poudrée et sensuelle de propreté, une touche de vanilline et d'héliotropine pour la note sucrée tendre. Voilà la base, mon petit Léonard.

Reste à le concevoir avec des dosages et des proportions. Mais là, vois-tu, je cale. J'ai bien du mal à imaginer que mon amour pour toi puisse tenir dans un flacon, aussi précieux soit-il.

Je t'aime.
Maman.

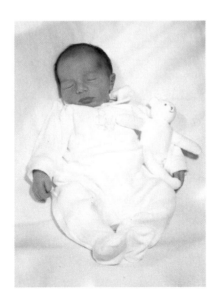

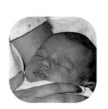

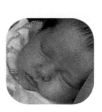

Valérie Abecassis

Valérie Abecassis est journaliste et collabore à la rédaction de RTL. C'est elle qui tient la rubrique « Mode, Beauté et Tendances ».

Elle a deux enfants qu'elle élève seule depuis six ans : Solal, 11 ans, et Paloma, 8 ans. Depuis leur naissance, Valérie consigne dans un carnet tous leurs mots, toutes leurs phrases marquantes. Entre eux et elle, c'est aussi une histoire d'écriture.

La petite barre bleue

Pour Solal, pour Paloma, pour la vie et pour celles qui ont peur.

oilà le trait qui s'affiche et moi qui souris comme lui. Une petite barre bleue, dans une fenêtre en losange rose pâle. Le test est positif ! Faisons le deuxième pour vérifier (c'est ridicule, je ne connais pas un cas d'erreur).

Re. Je suis enceinte. Et la vie se trouve dans ce stylo-test de grossesse vendu hors de prix par un pharmacien totalement étranger à mes affaires, que je n'ai jamais revu… du reste.

Enceinte donc. Ce bébé-là, il va falloir qu'il vive. Il va devoir tenir, et dépasser la date fatidique des trois premiers mois, la date de tous les dangers. Sinon ce sera la grande angoisse.

Premier mois : jusqu'ici tout va bien. Enfin bon, c'est vrai que je déteste subitement la couleur jaune des stylos Bic et celle de certains sièges de métro. Et que ça me donne la nausée. Mais ça va quoi ! Je n'ai qu'à ne pas regarder les stylos Bic.

Deuxième mois : jusqu'ici tout va bien.

Deuxième mois et demi : j'ai mal au ventre et l'angoisse revient. Il ne va pas tenir ? J'ai tellement peur, que je file au premier centre d'échographie venu, pour vérifier que le point sur la photo va battre encore très fort et très vite, comme la dernière fois.

« Désolée, madame », me dit l'imbécile en blouse blanche, « il n'y a rien sur l'écran, l'œuf ne s'est pas développé… »

J'ai passé la journée à boire et à fumer clope sur clope, et la nuit aussi. Et j'ai fait un rêve. Une poupée était allongée dans l'entrée de ma cuisine : sa tête était dévissée et je la remettais, et l'une de mes tantes étendait de grandes nappes blanches avec toute l'argenterie.

J'ai rendez-vous à la clinique pour la troisième fausse couche. La clinique, le truc assez abominable où vous entrez avec des femmes rondes et vous sortez avec des femmes qui portent des couffins. Moi, je n'en sortirai rien du tout. « Avant », me dit le gynéco, « va donc chez l'échographe habituel, va faire un contrôle ». Ouais, sauf qu'il n'est pas là et que c'est sa jeune assistante qui le remplace et que je tiens une pure gueule de bois. « Je laisse tomber ou pas ? » Oh ! et puis j'y vais. Alors apparaît sur l'écran, brusquement, violemment, comme un cadeau du sort, un énorme fœtus avec une énorme tête, et un énorme cœur qui bat, et deux petits bras translucides, et deux petits pieds diaphanes. Il est là, en pleine forme. Taille et croissance normales. NORMALE.

Putain, la vie.

Et quand c'est accroché, c'est accroché !

Alors, je suis partie au Mexique, avec mon fils à trois mois de vie *in utero*. Dévaler les pentes, monter les marches des pyramides, me limiter sur les Piña Colada. Une par jour pas plus, promis. Manger, rire, nager, bronzer... Vivre quoi. La grossesse, ce n'est pas une charge, c'est un cadeau. En transit à l'aéroport de Madrid, j'ai juste une furieuse envie de la salade de poivrons et tomates cuites de l'arrière-grand-mère. Le cuisinier espagnol d'une buvette, ému, m'a donné du concentré en boîte réchauffé. Fort aimable de sa part. Cela a fait l'affaire. Et j'ai grossi, grossi, jamais je n'ai été aussi grosse, aussi contente. T'avoir en moi...

À terme, j'étais un bon gros beignet avec vingt-trois kilos en plus. De la graisse qui sortait des chaussures, qui s'échappait de mes bagues, de mon cou, de mes fesses que je n'ai jamais pu apercevoir, jamais. De la graisse sur les bras, les cuisses, les seins, les joues. De la graisse tellement fière, qu'elle n'a pas fait sa chieuse. Sans rien lui demander, elle a disparu tranquillement au bout d'un an.

La vie est plus forte que tout.

- Et l'accouchement ?

Déclenché, organisé, préparé et contrôlé. Toutes mes affaires, de l'essence, pas de circulation, pas de stress. Il est arrivé après vingt heures, avant pas possible, j'écoute les titres du journal.

– Et quand il sort ?

Ah ! quand il est sorti, c'est extraordinaire. Cela dure une demi-seconde et cela ne se reproduit jamais plus, même avec le deuxième enfant. Le rêve. Il faudra juste que je remercie personnellement l'inventeur de la péridurale, appelez-le immédiatement.

– Et l'épisiotomie ?

Hein ? Quoi ? Non, je ne vois pas. Oh ! comme c'est bizarre, je suis assise sur une bouée, avec plein de bonnes femmes assises comme moi. Mais pourquoi ne sont-elles pas maquillées, ni coiffées ? Pourquoi se laissent-elles traîner comme des gravats en peignoir ? Ah ! je suis la seule primipare. Ben dis donc…Y en a une qui vit dans un deux pièces avec ses trois enfants, l'autre qui a perdu son premier enfant, la troisième est une femme battue.

Putain, putain la vie.

– Et l'allaitement ?

Alors là, j'ai essayé cinq jours. Mais ce n'est pas possible. Il faut le laisser libre ce petit bébé. Libre. Je ne vais pas lui donner de moi à boire ! Je ne peux pas. Et pourquoi les soixante-quinze membres de ma famille sont-ils tous installés dans cette chambre à regarder mes énormes nichons ?

– Et après ?

Après ? Mais cela ne finit jamais.

Mon fils, ma fierté, ma mémoire. On oublie les cons, les douleurs, les nuits blanches, on oublie les couches, les pots, les copains sans enfant, les directeurs fachos, les banquiers rassis. On oublie les frictions, la fatigue, le divorce. Je t'ai donné ce souffle de vie, tu l'as attrapé du bout des doigts et, chaque jour depuis onze ans, tu le fructifies à ta façon et sans moi. Je t'ai toujours dit que j'étais ta mère, ta citadelle. Quoi que tu fasses, quoi que tu deviennes, je serai là.

P.S. : Paloma, ma reine, ma grâce. Ne te sens pas exclue. Un œil qui rit, un œil qui pleure. Le lien entre toi et moi, c'est entre nous. Et le sujet du livre, c'était le premier enfant.

Maman Pitou.

Isabelle Lambert

Isabelle Lambert a 30 ans. Elle est mariée et enseigne les lettres modernes dans un collège de Grenoble.

Elle est mère de deux enfants, des jumeaux dizygotes, nés le 19 juin 1998.

Ils ont été conçus par fécondation in vitro avec micro-injection (ICSI). C'était la première tentative après plusieurs années d'attente et d'espoirs déçus. Prématurés de deux mois, ils ont passé un mois et demi en couveuse. Aujourd'hui, ce sont deux bébés en bonne santé mais les souvenirs sont vivaces.

 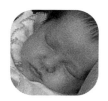   

Mes bébés éprouvettes

inuscule petit rat affublé d'un bonnet de Schtroumpf. L'experte et babillarde puéricultrice te sort, Camille, de la couveuse à laquelle tu es reliée par tout un tas de fils savants et multicolores, et elle te pose sur mes genoux. Dans la couveuse d'à côté, Robin, tu attends ton tour et agites frénétiquement tes longues pattes de crevette.

Premier contact avec vous depuis votre naissance, il y a huit jours. Le choc. Un truc m'étrangle la gorge, me mouille les yeux et m'obstrue les oreilles. Je n'entends plus les conseils avisés de cette « voleuse de bébés » en blanc qui s'occupe de vous toute la journée, à ma place. Aucune révélation, aucune extase, rien à voir avec ce fameux instinct maternel qui donne d'emblée à la mère des gestes sûrs et au bébé une quiétude béate. Au contraire, Camille, tu te mets à hurler, et moi, je sens une immense panique m'envahir : le constat hyperréaliste que je n'ai que deux mains pour quatre bras et quatre jambes. Bien sûr, j'y étais psychologiquement préparée depuis neuf mois… pardon sept mois ! « Dix-sept pour cent de risques de grossesse gémellaire pour une fécondation in vitro », annonce doctement le médecin, derrière son bureau, dans son cabinet calme et chic. Manu et moi, on se regarde. Petit temps d'hésitation avant de signer. Qu'importe ! Notre désir d'enfant est trop fort. Et puis, les jumeaux, cela n'arrive qu'aux autres !

Autour de moi, on s'agite, on prend des photos, on me demande de sourire. Je te tiens dans mes bras, Camille, comme on tient une bouteille d'Évian : tu n'es pas plus lourde. Un gigantesque sentiment de culpabilité m'étreint. Avec ton frère, vous êtes loin de ressembler au bébé idéal de la pub Nestlé : 1,700 kg pour toi, Robin, 1,400 kg pour toi, Camille, à votre naissance. Une semaine après, vous avez encore maigri.

Obligés de quitter prématurément le cocon douillet du ventre de maman devenu dangereux. Pas de nouvelles de cette maman malade depuis. Heureusement que papa est là pour faire le lien, vous raconter combien

vous me manquez, m'expliquer tes jeux de jambes, Robin, et tes coups de gueule, Camille.

Dire que le grand jeu des ressemblances a déjà commencé : les grands-parents sont là, émus derrière la vitre.

Robin, tu es le portrait craché de ton père. Camille, tu as exactement la bouche de ta mère. Ah bon ? Pour être franche, moi, je ne vois qu'un petit rat mouillé et une crevette poilue !

Un merveilleux souvenir me revient alors en mémoire : on est en novembre, sept mois plus tôt, je suis allongée au bloc opératoire de la clinique, prête pour la réimplantation des deux embryons fécondés dans l'éprouvette le matin même, élus parmi les dix ovocytes. À travers une petite fenêtre, je distingue le ciel et les lumières de la ville. Il fait nuit. Une musique douce, aussi aseptisée que tout ce qui m'entoure, me berce. Je vois le médecin revenir, accompagné de Manu un peu bizarre : il vient de voir les deux blastocytes dans le microscope. « Ça fait comme deux p'tites mûres », m'explique-t-il avec une drôle de voix. Deux petites mûres ! C'est le déclic. C'était vous, ces petites mûres que je tiens dans mes bras !

Grâce à votre conception plutôt inhabituelle, on a su que c'était vous bien plus tôt que si cette fichue stérilité n'avait jamais existé. On vous a d'ailleurs désirés bien plus que beaucoup de parents en ce bas monde.

C'est une chance et une force incroyables. Vous vous êtes battus pour être les deux plus belles petites mûres choisies et, aujourd'hui, du fond de votre couveuse, vous vous battez encore.

Tu t'es arrêtée de pleurer, Camille. Je croise ton regard une seconde. Ça suffit pour que je comprenne que tu désires très fort être ma fille.

C'est là, brutalement, dans ce service néonatal de l'hôpital de Grenoble, au milieu des vagissements, des bips des appareils respiratoires et des odeurs de Bétadine, que je suis profondément devenue maman.

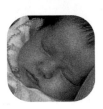

Corinne Bebin

Corinne Bebin, 39 ans, est mariée et mère de cinq enfants dont le dernier, Clément, est trisomique. Elle est directrice d'un centre de recherche médicale qui prend en charge les personnes souffrant de maladies de l'intelligence. Les Bebin sont catholiques pratiquants. Avec beaucoup de pudeur, Corinne raconte l'arrivée de ce petit frère pas comme les autres.

Je t'attendais

Un bébé naît deux fois : une fois à la face du monde et une fois dans le cœur de sa mère, et peu importe l'ordre chronologique. Toi, Clément, tu es né dans mon cœur alors que j'avais 15 ans. Je ne savais pas que tu prendrais la forme d'un petit garçon : tu n'étais qu'un projet. Attablés autour d'une fondue savoyarde, ton père et moi laissions divaguer nos âmes d'adolescents, débordant d'une utopie touchante : « Tu verras, nous aurons une maison pleine d'enfants. Tous ceux que leurs parents ne voudront pas, nous les garderons, nous nous en occuperons… »

Pour notre famille, tu es né bien plus tard, d'une phrase de Cédric, ton frère, de retour de l'école : « Pourquoi nous aussi, on n'en aurait pas un comme lui, il est si gentil ? » Il parlait de Nicolas, enfant trisomique qui devait apprendre à lire, associant toute sa classe à cet objectif collectif fixé par la maîtresse en début d'année. Le soir, à la maison, chacun commentait les progrès réalisés par Nicolas. Dans le cœur de ton père, je ne saurais dire le moment exact de ta naissance, mais, en réponse à la question de Cédric, il m'annonça : « Moi, cela fait longtemps que j'y pense, mais je ne voulais pas t'imposer un quotidien que tu n'aurais pas choisi. »

Puis est arrivé le jour où nous sommes venus te chercher à l'œuvre d'adoption. Nous étions tous là, nous, tes parents et quatre frères et sœurs. Comment décrire mon émotion lorsque je t'ai pris dans mes bras pour la première fois ? Sous le regard attendri de la « dame confiante », dans un silence respectueux, je laissai couler mes larmes. Nous étions devenus une famille à qui tu étais « confié en vue d'adoption ».

Avant de t'emmener, nous avons ressenti le besoin d'entrer dans une petite chapelle située à quelques pas de là, juste pour dire tous ensemble : « Merci ». Ce geste avait quelque chose de symbolique ; une présentation en quelque sorte. Mais lorsque j'ouvris la porte, je découvris, en gros caractères audessus de l'autel, cette simple phrase : « Je t'attendais ». Quel choc !

Je compris qu'il m'attendait depuis près de vingt ans et que j'avais mis tout
ce temps à le comprendre. À cet instant, je sus que tout nous échappait, que
notre vie basculait, qu'un « petit de la Crèche » était entré dans notre maison : il allait bien falloir assumer, mais nous ne serions plus jamais seuls.
Quelqu'Un nous aiderait.

Ce parcours si difficile commençait : il fallait expliquer notre geste, trouver
la force d'affronter l'opprobre générale. Nous essayions d'imaginer ce que
seraient ces yeux bridés, ce visage rond, cette nuque plate, ces mains larges.
Quel projet pourrions-nous avoir pour toi ? Nous avions peur, terriblement
peur de notre folie… À part ta si sage grand-mère, très peu de gens l'ont
compris. Seul, un ami ayant lui-même un enfant porteur de mucovisidose

nous appelait pour nous soutenir. En riant, nous disions que nous avions demandé le branchement d'une « hot line » avec Là-Haut.

J'ai été comblée au-delà de l'imaginable. Tes frères et sœurs sont fiers de toi : en entendant un généticien parler d'une piste de recherche thérapeutique, l'un d'eux s'est exclamé : « Ah non, ils ne vont pas trouver quelque chose, ils seraient capables de nous le changer ! »

La souffrance, quelle qu'elle soit, ne les laisse pas indifférents et, de cela, je te remercie. Car qui mieux que toi peut inspirer de la compassion ? Ce mot signifie « souffrir avec » pour soulager un peu, et c'est, je crois, un vœu caché dans le cœur de chacun. Tu es un éducateur hors pair.

Tout te fait rire : faire le clown pour amuser tes frères est un des objectifs de ta journée. Tes bêtises m'épuisent et, pourtant, je ne peux retenir – en cachette, c'est vrai – un sourire. Tu formes à la patience car tout est plus long avec toi : il faut expliquer, montrer, recommencer jusqu'à ce que, enfin, tu puisses faire tout seul. Grâce à toi, tes frères et sœurs sont de vrais pédagogues.

Tu nous remets en cause chaque jour, mais nous avons acquis la certitude qu'avec toi nous pouvions changer le regard des autres sur ta différence.

D'un projet de folie est né un chemin de sagesse.

Tu es plus précieux à nos yeux que n'importe laquelle de nos utopies : tu es l'un de nos enfants !

Caroline Tresca

Caroline Tresca est avocate de formation mais c'est la télévision qui nous l'a fait connaître. Pendant sept ans, elle a produit et présenté de nombreuses émissions sur les chaînes du service public.

Comédienne, peintre, Caroline a également coécrit un livre, Folle enfance, sur l'enfant différent.

Mère de trois enfants, Joïlita, Joseph et Blanche, Caroline Tresca est une jeune femme, poétique et énergique. Elle écrit pour nous un témoignage sous la forme d'un conte autobiographique. Les rôles sont inversés, c'est la petite Blanche qui raconte son arrivée sur terre.

 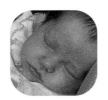   

Le carnet du nouveau-né

« Vos enfants ne sont pas vos enfants.
Ils sont les fils et les filles de l'appel de la vie à elle-même.
Ils viennent à travers vous mais non de vous.
Et bien qu'ils soient avec vous, ils ne vous appartiennent pas. »
Khalil Gibran, *Le Prophète*

Blanche :

« Au pays des anges, tout le monde il est beau, tout le monde il est gentil ! C'en est monotone ! Aucun challenge, aucun cœur à conquérir, tout est acquis d'avance !

Sur terre, c'est une autre paire de manches pour se faire aimer, il faut vraiment s'accrocher.

J'ai donc décidé de venir ici-bas pour faire tomber les cœurs.

J'ai construit pendant neuf mois réglementaires un super sous-marin avec vue panoramique sur la mère.

J'ai choisi un ventre tout confort avec hublots, chaleur constante, en attendant qu'on me pousse gentiment vers la sortie.

Le 13 juillet au soir, j'ai commencé à en voir de toutes les couleurs !

Je pensais pointer mon nez incognito, et allez savoir pourquoi, tout le monde me montrait du doigt ! Un mémorable feu d'artifice était même organisé pour mon arrivée. Conclusion : je devais descendre de mon cocotier. On m'attendait ; alors, quand faut y aller, faut y aller !

Pas le temps de dire « ouf ! » qu'un orage dantesque et de grandes eaux déchaînées m'avaient propulsée dans le tunnel même pas allumé. Pourtant, je n'avais ja... ja... jamais navigué, ohé ! ohé !

Trois loopings comme chez Disney, j'en étais toute retournée. J'ai bu la tasse dix fois et dans un grand tremblement de terre et de lumière, j'ai pointé mon nez, en plein défilé du 14 juillet.

Ma mère, dans les choux, souriait aux anges, aux fées et au bon génie d'Aladin. Mon père, lui, a versé sa larme quand il m'a vu débarquer, toute mouillée… trempée jusqu'aux os. Je n'avais même pas eu le temps de me faire une beauté. J'arrivais pile à poil pour le bal des pompiers.

Les bras de mon père, bien trop grands pour moi, m'attendaient pour aller danser au bal masqué, ohé ! ohé ! Mes vieux avaient fait les choses bien !

Rien ne manquait à mon arrivée : flonflons, défilé, pétarades, tapis rouge et fleurs par milliers… Imaginez, si j'avais fait mon entrée deux jours plus tôt… je pense que j'aurais fait un flop complet !

Il y avait un tel vacarme dans les rues pour fêter la France championne du monde de foot que même mon premier cri serait passé totalement inaperçu. Sans compter que pour le coup, on m'aurait probablement surnommée Zizounette, ce qui aurait été vraiment déplacé !!!

C'est comme pour tout dans la vie, peu importe le talent, tout est une question de moment.

Le 14 juillet, la France entière m'embrassait.

L'amour : « Finger in the nose !!! »

Mardi 14 juillet 1998, 13h45,
3,640 kg, 50 cm.

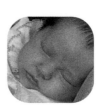

Christine Boisson

Christine Boisson est actrice. Authentiquement, fiévreusement. Cette ancienne élève de Vitez et du Conservatoire d'art dramatique de Paris a un regard noir, pénétrant, et la voix un peu cassée des artistes passionnés. Le théâtre, le cinéma, la télévision, tout lui va à merveille. Elle a joué Pinter, Shakespeare, tourné dans Identification d'une femme *d'Antonioni,* L'Homme idéal, Les Marmottes, Radio Corbeau, Flic Story, Le Passage, Extérieur nuit, *et, pour la télévision, dans* La Rumeur, Le Feu follet *ou encore* La Clef des champs...

Dans la vie, elle est aussi maman d'une petite Juliette, née le 15 novembre 1991.

C'était hier

Il était une fois une femme qui tomba éperdument amoureuse d'un très jeune homme. Elle était perdue dans un festival de cinéma lorsqu'elle croisa ce garçon à qui elle dit : « Vous avez un très joli regard, monsieur. » Dans la soirée, la femme l'invita à prendre un verre dans sa chambre avec quelques amis. Quand vint le moment de dormir, tous partirent sauf lui. Il était caché derrière son lit et la scrutait.

Elle lui demanda s'il voulait bien lui faire l'amour toute la nuit. Il répondit « oui » d'un air décidé. Ils tombèrent très amoureux l'un de l'autre et ne se quittèrent plus les sept années qui suivirent.

Très vite, il voulut un enfant. Elle n'était pas tout à fait prête. Et puis, il était jeune : douze, treize ans de moins qu'elle…

Elle réfléchit, pas très longtemps. Ils s'aimaient passionnément, le reste suivrait. Elle tomba enceinte. Tout de suite. Elle ne s'attendait pas à ce que cela vienne si vite. Tout comme elle ne s'attendait pas à sentir ce bébé bouger si tôt. Ce frétillement, comme un petit poisson dans son ventre, au bout de huit semaines, cette caresse, c'était magique. Elle portait quelqu'un.

Il y eut alors un moment de grâce où elle réalisa qu'elle était en train de donner la vie. Quelle vie ? À quoi allait-elle ressembler cette vie ? Serait-ce un garçon, une fille ? Un grand nez ? Cinq doigts ? La peau blanche, mate ? Plus son enfant grandissait, plus elle se sentait belle, épanouie, pleine et lumineuse ; ses seins avaient pris une taille démesurée (105 bonnet C). Elle se précipita même chez Chantal Thomass pour acheter des jolis dessous en pensant : « Il faut que je fasse des photos, une poitrine pareille, cela ne durera pas. »

Puis, ce fut le printemps. Elle apprit qu'elle attendait une fille. L'été vint lui rappeler qu'un enfant tenait plus chaud qu'une bouillotte. À cette époque, elle répétait *C'était hier* d'Harold Pinter. Samy Frey l'avait appelée

quelques mois auparavant pour lui proposer le rôle de Kate. Elle commença les répétitions enceinte de huit mois et demi. Souvenirs de fatigue et de Samy Frey qui lui reprochait de fumer tout en lui soufflant au visage la fumée de ses propres cigarettes.

À neuf mois pile, sa fille ne se décidait toujours pas à naître. Elle partit donc à la clinique un matin à huit heures. On la mit sous perfusion pour provoquer les contractions. En attendant qu'elles se déclenchent, elle joua au yam avec son fiancé.

Au bout de deux heures, comme rien ne se passait, le gynécologue décida de pratiquer une césarienne. Elle prit peur, pour elle. Elle qui aimait les maillots de bain tout petits petits. Elle se souvint avoir demandé au médecin de lui faire une minuscule cicatrice pour que rien ne se voit : la coquette. Césarienne. Péridurale, la sensation d'être complètement ailleurs, comme partie. Elle chanta pendant l'accouchement : « Saga Africa, attention les secousses… », et demanda à l'anesthésiste une coupe de champagne. Il lui répondit que dans ce qu'il lui avait injecté, il y avait au moins sept coupes de champagne.

Elle était gaie. On sortit sa petite fille de son ventre et, en la voyant, elle dit : « Oh ! c'est tellement beau, j'en veux un autre tout de suite. »

Les jours qui suivirent furent difficiles. Elle eut du mal à se remettre de la césarienne. Jane Birkin fit un malaise à la clinique en réalisant que son amie se trouvait dans la chambre où Serge Gainsbourg était mort. Et puis, il y eut cette nurse anglaise qui lui expliqua qu'il ne fallait absolument pas prendre le bébé contre elle parce que c'était mauvais pour lui, parce qu'il se serait habitué à la peau de sa mère. Elle crut en mourir d'envie. Elle aurait voulu la toucher, sentir sa peau, elle ne fit que la regarder, endormie dans son berceau à côté du lit. La première fois que Juliette ouvrit les yeux fut un moment inoubliable. Elles se regardèrent et elle lui demanda : « Mais d'où viens-tu ? Qu'as-tu dans les yeux, dans la mémoire ? » Que peut bien voir un nouveau-né qui a emmagasiné des sons, des sensations, mais qui n'a jamais rien regardé ?

La semaine passa et il fallut rentrer à la maison. Son fiancé vint les chercher. Ils prirent tous les trois un taxi. Au moment où elle referma la porte de la voiture, elle regarda sa fille et pleura de bonheur d'avoir reçu pareil cadeau. Une fois chez elle, les larmes de joie devinrent des larmes de blues. Elle trouvait sa fille sublime, la regardait déplier ses bras et ses doigts pendant des heures ; elle écoutait son souffle pendant qu'elle l'allaitait et restait sans voix devant ses gazouillis.

Mais les répétitions devaient reprendre, elle s'était engagée. Épuisée, les seins gonflés, elle revint malgré tout sur les planches quinze jours après l'accouchement. L'ambiance était lourde. Samy Frey lui en voulait de ne pas être élégante. Il lui reprocha de ne pas mettre de robe. Alors, en dépit de son ventre ballonné, elle enfila une jupette de patineuse de chez Alaïa avec des collants blancs. Elle se sentit tout à fait ridicule. Mais cela calma les foudres de son metteur en scène qui la soupçonnait en outre de ne pas assez travailler. Un jour, elle lui récita le long monologue de fin et, devant son air stupéfait, lui expliqua que faire un enfant n'avait aucune incidence sur la mémoire et qu'on ne devenait pas idiote pour autant.

Elle joua la pièce pendant trois mois, puis ils partirent en vacances tous les trois : Juliette, Piotr et elle. C'est là-bas, en Guadeloupe, que sa fille prononça son premier mot à six mois. La petite était sur la plage quand brusquement un moustique la piqua. Elle hurla « Maman ! » pour la première fois. Sa mère en aurait presque béni le moustique.

Stanislassia Klein

Stanislassia Klein a 32 ans. Elle est mariée et mère de trois enfants : Marguerite, née le 1er octobre 1992, Théodore, le 20 janvier 1995, et Anatole, le 30 mai 1997. Cette jeune femme au visage de poupée russe a créé sa propre marque de vêtements et d'accessoires, Stella Cadente, qui signifie « étoile filante » en italien.

Stanislassia, qui a gardé une âme d'enfant, cuisine et peint avec les siens. Son texte est d'ailleurs un petit carnet manuscrit et illustré qu'elle a confectionné pour y coucher l'histoire de Marguerite.

L'histoire d'une fleur

oici une histoire de fleur qui commence il y a presque sept ans. Une sensation court dans mon ventre, puis une rencontre au quotidien entre moi et moi, qui deviendra une rencontre avec une autre. Marguerite. Un prénom simple et compliqué, vieillot et moderne, exotique à force d'être français. Une fleur belle, qui sent mauvais !

La préparation d'un enfant, c'est presque comme la préparation d'une collection, c'est long… long… et d'un coup, c'est demain !

Les petits vêtements, la chambre, les faire-part à imaginer – une marguerite en tissu avec un mot écrit sur chacun des pétales – le sac pour la clinique… Quand doit-on le préparer ? Oh ! on a le temps !…

Et puis tout à coup, le père qui s'affole un soir : « Stan, il faut y aller, là ! ». Lui, tout nu, à courir partout pour préparer mon bagage, moi, qui compte les contractions sur le réveil électronique puis sur l'horloge de la voiture qui roule à 150 km/h sur le périphérique.

Une douleur monte comme une vague, puis Fred, ses yeux dans les miens pour aller au bout du monde, au bout de la vie.

La tête, l'épaule, les pieds et, tout à coup, une chose sur mon ventre, bleue, chaude.

Plus tard, dans un aquarium, un petit animal de quatre kilos venu d'une autre dimension me regarde. Ses yeux bleus s'ouvrent sur le monde. Bienvenue !

La chambre comme un champ de fleurs et la reine des fleurs au milieu… Marguerite.

Première étape : observation. Deuxième étape : reconnaissance de l'animal. Troisième étape : toucher, écouter. Quatrième étape : amour.

Un bébé, c'est comme de la magie. Un être né du plaisir de deux êtres qui s'aiment. Un bébé, c'est comme une drogue terrible dont on devient dépendant très vite : renifler sa peau, sentir cette odeur si forte de petit chiot. Ne

Voici une histoire
de fleur qui
commence il y a
presque 7 ans.

Une sensation qui
courre dans son

Marguerite

un prénom simple et compliqué, vieillot et moderne, exotique à force d'être français. Une fleur belle et qui sent mauvais !

jamais cesser d'embrasser ce crâne toujours à portée de bouche. Écouter ses bruits de nez, de bouche qui tète, d'ongles qui grattent. Le poser sur soi, s'abandonner à l'idée de n'être encore qu'un…

Un bébé, c'est sa propre enfance à portée de main, ses sensations oubliées : «Viens Marguerite, je vais te mettre ta cagoule », et c'est ma tête qui me gratte !

Elle monte à cheval sur mes pieds que je balance d'avant en arrière, et c'est moi qui ai mal aux fesses !

Elle pleure la nuit, et c'est moi qui ai mal aux dents !

Marguerite m'apprend chaque jour sur ma vie, elle m'apporte sa force et, en même temps, me fragilise. Avec elle dans mes bras, je peux aller au bout de tout, son énergie est positive, c'est mon talisman, ma botte secrète. Aujourd'hui, trois enfants plus tard, je crois que faire des bébés, c'est comme posséder un trésor. Je garde et partage ce trésor avec leur père, l'homme de ma vie, qui a eu mal au cœur pendant toutes mes grossesses, qui avait des contractions bien avant moi et qui désormais compte avec moi chaque diamant.

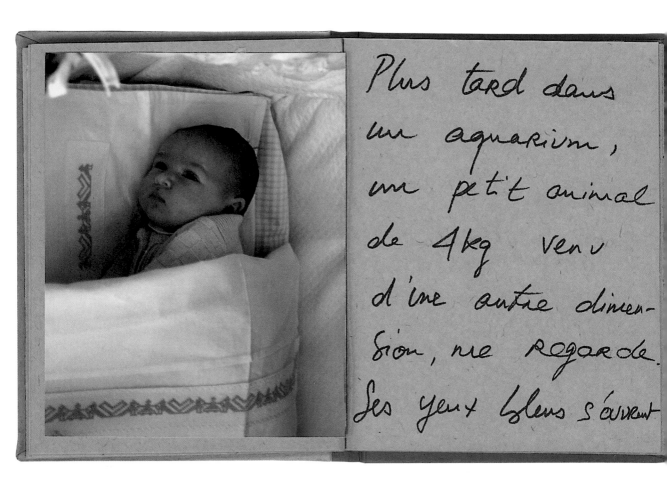

Plus tard dans un aquarium, un petit animal de 4 kg venu d'une autre dimension, me regarde. Ses yeux bleus s'ouvrent

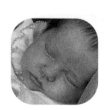

Sophie Favier

Lyonnaise d'origine, Sophie Favier est née le 5 octobre 1963

sous de bons auspices. En quelques années, elle est devenue

l'animatrice chérie de la télévision française. Elle a donné

naissance à une petite Carla-Marie.

Chamboulement

Attendre son premier enfant, quel chamboulement ! Durant neuf mois, j'ai fantasmé sur son physique, la couleur de ses yeux. Je me suis posée d'innombrables questions : donner la vie était-il douloureux ? Mon séjour à la maternité allait-il bien se passer ? Comment assumer mon nouveau rôle ? Comment devrais-je me comporter avec mon bébé ? Parfois, j'ai un peu paniqué, je l'avoue, mais après tout, quoi de plus normal.

Mon ventre s'arrondissait, je sentais ce petit être pousser en moi et je le couvais, jalousement. Le temps est passé vite, trop vite.

Le jour J, j'ai quitté la maison avec un petit pincement au cœur. Soutenue par le futur papa et la famille déjà attendrie, je me suis armée de courage. Tout s'est merveilleusement passé, j'ai eu l'impression d'être une reine, couverte d'attentions, de fleurs, de cadeaux pour ma petite fille.

Les quelques jours à la clinique m'ont permis de me reposer et m'ont surtout donné l'occasion d'apprendre une foule de choses sur ma nouvelle vie de maman.

Une grande histoire d'amour a commencé, sans doute la plus belle.

En rentrant chez moi, l'angoisse de l'inconnu est réapparue. Il est vrai que c'était la première vraie rencontre avec mon bébé. Notre premier face-à-face, sans assistance.

Avec beaucoup de tendresse, j'ai regardé Carla-Marie découvrir son nouvel environnement, sensible à tous les bruits, toutes les odeurs et s'endormir, apaisée. Un peu sonnée par la puissance de cette rencontre mais totalement heureuse, je me suis glissée dans un bain chaud, en soupirant de soulagement, puis j'ai ouvert mon courrier, histoire de revenir sur terre.

Le répit a été de courte durée. Bébé avait faim. Vite un biberon. Dans la précipitation, j'ai failli me brûler en vérifiant la chaleur de son lait.

Mon enfant dans mes bras glissait comme une poupée de chiffon. Je me suis sentie si maladroite. Une fois rassasié, Bébé ne m'en a pas voulu puisqu'il a très

vite refermé ses deux minuscules fentes perlées de gris. Dans son sommeil, il s'est mis à s'étirer et à grimacer d'une manière très drôle. Il était à croquer. L'heure du bain est arrivée. J'avais lu que les petits d'hommes retrouvaient spontanément leur instinct aquatique. Bébé nageur, ma petite Carla ? Pas franchement. Tremblante de peur, elle criait tant qu'elle en devenait violacée. C'était terrifiant !
Finalement, ma petite fille s'est consolée dans la chaleur de la grenouillère et dans mes bras. Je l'ai couverte de baisers, lui ai massé les pieds, puis elle s'est endormie comme un petit ange.
La porte refermée tout doucement, j'ai laissé l'habit de mère au vestiaire pour endosser celui de femme, en pensant qu'un enfant c'était magique, un don du ciel, le pur fruit d'un amour profond.

Marie-Claude Adam

Marie-Claude Adam est la maman la plus célèbre de France.

Le 14 janvier 1989, elle a donné le jour à des sextuplés, issus d'une stimulation ovarienne. Mariée à 19 ans avec Daniel, le couple coulait des jours paisibles à Saint-Pierre-les-Elbœuf jusqu'à l'arrivée surprise de leurs six enfants.

On a souvent pu lire des récits de contes de fées sur la famille Adam. La réalité dit aussi autre chose…

 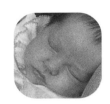   

Un câlin à six

Les sextuplés. Mes enfants. La France entière vous a vus en photos dans les magazines mais personne ne connaît véritablement votre histoire… Notre histoire…

Au tout début, il y avait dix embryons. Le gynécologue a pu réduire leur nombre à six par aspiration et, selon les médecins, à terme seuls trois embryons devaient survivre. Sept mois plus tard, vous étiez tous là : Cédric, Kévin, Coralie, Mélanie, Doriane et Gaëlle.

Ma grossesse se déroulait bien. Je vous ai portés en toute tranquillité jusqu'à six mois et demi. À partir de ce moment-là, c'est devenu très difficile. Je ne pouvais plus manger, plus dormir, plus m'allonger, je ne pouvais plus rien faire.

Je vous sentais grossir, grandir tous les six, et mon ventre durcissait, j'étais pleine de vergetures, j'avais mal, j'avais peur, à tel point que je me suis dit : « Si je n'accouche pas maintenant, je vais mourir. »

Le lendemain, au début de cette fatidique trente-deuxième semaine, j'ai perdu les eaux.

Je savais que chaque jour de plus était une chance de survie supplémentaire pour vous. Il fallait tenir, les médecins me le répétaient souvent, mais ce jour-là, le 14 janvier 1989, j'ai craqué.

J'ai accouché de vous tous en dix minutes. On me l'a raconté, moi je ne vous ai même pas vus à cause de l'anesthésie générale. Je me souviens seulement que le bloc était bondé et bruyant, vingt personnes assistaient à votre arrivée. À mon réveil, on m'a dit : « Les bébés vont bien mais ce n'est pas parce qu'il n'y a pas de problème pour l'instant que c'est gagné. »

Quant à moi, je n'allais pas très fort. J'avais mal au ventre, je vomissais et la fièvre ne tombait pas. Au bout de trois jours, on m'a donc ramenée au bloc en urgence pour m'opérer d'une occlusion intestinale. Les médecins m'ont enlevé un bout d'intestin et, dans la foulée, j'ai eu droit à une hystérectomie. Tout était abîmé.

J'ai passé ensuite dix jours en réanimation. J'étais au bout du rouleau. Je ne vous avais toujours pas vus, pas touchés. Je me sentais mourir. Un professeur est alors venu me voir pour me parler de vous et me rassurer sur votre santé, vous étiez si petits… Et c'est en entendant que vous étiez tous là, bien vivants, que je me suis fait cette réflexion : « Marie-Claude, tu as six enfants, alors ne fais pas l'andouille. »

Je me suis donc battue, je me suis fait la guerre toute seule, pour vous. Vous que j'ai enfin pu voir au bout de quinze jours pour la première fois. J'étais tellement faible qu'on m'a montée en pédiatrie en chaise roulante, et là je vous ai découverts, tous différents, chacun dans une couveuse, et j'ai pu vous toucher en passant les mains à travers un sas. C'est mon premier souvenir, ma première émotion partagée avec vous.

Depuis ce jour, je ne vous ai jamais confondus. J'ai toujours su qui vous étiez. Vos mimiques étaient très différentes, votre attitude aussi. Coralie, tu étais la costaud, la plus tonique, celle qui relevait la tête tout le temps. Cédric, tu étais chétif parce que très malade, tu as fait une occlusion intestinale à l'âge de deux mois. Doriane, ma brune, on te mettait dans un lit sous des U.V. pour te réchauffer. Gaëlle, tu avais du muguet dans la bouche. Mélanie, lorsque tu pleurais, on n'entendait que toi, tu avais une goule (grande gueule) pas possible. Et toi, Kevin, on t'avait intubé pour que tu puisses mieux respirer. Comment ne pas vous reconnaître !

Je suis rentrée à la maison un 13 février, un mois après l'accouchement. Et vous, mes enfants, vous êtes arrivés les uns après les autres. Le pédiatre ne voulait pas que vous soyez avec moi tant que je n'avais pas repris suffisamment de forces pour vous accueillir, et puis, les soucis de santé ont fait que nous avons dû attendre pour nous retrouver, vous étiez toujours hospitalisés. C'est comme cela que j'ai récupéré petit à petit deux filles en mars, une début avril, une à la fin du mois, fin mai un garçon, et début juin le dernier petit. Finalement, au bout de six mois, vous étiez tous là. Je me suis alors sentie complètement perdue. J'avais changé de travail, de domicile, de rythme de

vie. Je ne voyais plus votre père qui travaillait beaucoup et il y avait du monde en permanence à la maison parce qu'il m'était impossible de m'occuper de vous toute seule. Quelle panique !

Le plus dur était de ne pas pouvoir vous tenir dans mes bras tous en même temps. D'être obligée de vous partager. Alors, je trouvais des astuces.

Parfois, l'après-midi, quand la sieste était terminée, j'étendais sur le sol deux grands matelas, je vous posais tous les six et on jouait. C'était formidable.

Le reste du temps, la course contre la montre commençait très tôt. Vous réveiller tous les six, vous nourrir en même temps, vous changer, vous laver les uns après les autres, vous occuper ensemble, vous consoler du mieux que je pouvais. C'était l'usine.

Cédric

Kévin

Coralie

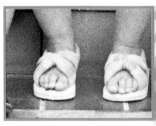

Au bout de deux ans, j'ai commencé à souffler, à pouvoir m'occuper un peu de moi, et surtout de vous. Seule, enfin ! Sans les nurses de jour, les infirmières de nuit, les aides ménagères, toutes si dévouées mais trop présentes. Là, j'ai commencé à rire avec vous, rire de vos bêtises, de vos réflexions, de vos réactions. Je vous ai vu grandir, devenir de beaux enfants. Ce n'est pas facile tous les jours mais je ne regrette rien.

Mes enfants, vous êtes de la joie. Vous allez bien, la maison est toujours pleine de vous, pleine de vie, les repas sont de vraies fêtes, vous semblez bien dans votre peau, vous faites plaisir à voir.

Et puis, qu'on se le dise, le bonheur d'un gros câlin à six en même temps, cela n'arrive pas à toutes les mamans…

Doriane

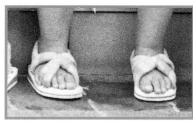

Mélanie

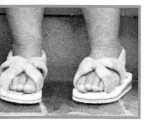

Gaëlle

Terry de Gunzburg

Terry de Gunzburg est née en 1955. Elle est directrice de création maquillage chez Yves Saint Laurent et a fondé sa propre ligne cosmétique : By Terry. Elle est mariée à Jean de Gunzburg, célèbre chercheur biologiste. À eux deux, ils ont sept enfants. Terry a eu deux filles d'un premier mariage — Marion, 18 ans, et Éloïse, 16 ans —, puis deux garçons avec Jean — Samuel, 4 ans, et Eytan, 2 ans. Son époux est déjà le père de trois filles, nées d'un premier mariage. Cette grande famille vit à Paris dans une maison en ébullition.

Ma ribambelle émotionnelle

Vous mes bébés, mes gourmandises de vie, mes trésors, ma ribambelle émotionnelle, vous êtes ma fierté, mes amours nés de l'amour. Marion et Éloïse, filles de Bernard, Samuel et Eytan, fils de Jean. Drôle de sensation d'avoir été une maman heureuse à 25 ans pour la première fois, puis à 40 ans avec le même bonheur. Nous avons fêté les 18 ans de Marion avec Eytan qui a 18 mois. C'est une belle image.

Marion est donc l'aînée, c'est elle qui m'a fait « naître maman », un sentiment flou et inconnu et, néanmoins, une certitude à la fois effrayante et paisible.

Marion, mon premier bébé, désiré, attendu, mis au monde avec innocence et légèreté. C'était bon. Sortie de mon ventre et posée sur mon ventre. Ces petits doigts agrippés à ma peau, ces petits cris de fille, ce cordon du cœur à jamais lié entre nous. C'était délicieux et j'ai pleuré, de peur, de bonheur ? Et si je ne savais pas t'aimer ? te combler ? Et si tu ne voulais pas me garder ?

Le baby blues !

Il a duré une heure et trois mouvements, et n'est plus jamais reparu, ni avec Marion, ni avec les autres. Avec toi, Marion, j'ai fait mes premiers pas de maman parfaite, imparfaite. Nous nous sommes apprivoisées, puis scotchées. J'ai découvert le goût de ta peau quand tu découvrais celui de mon lait. Je regardais inlassablement le tremblement de tes lèvres et de tes paupières, lourdes de sommeil… Mon premier bébé, merci pour cet émerveillement.

Deux ans plus tard est arrivée Éloïse, mon bélier énergique. Je me souviens avoir dit : « Je ne veux pas y aller, je veux la garder encore un peu dans mon ventre. » C'est curieux comme chaque enfant a sa façon de venir au monde. Les filles, sans péridurale, sont arrivées comme une lettre à la poste. Éloïse, cela a été « chronopost » : trois quarts d'heure clefs en main.

Elle était longue, fine, belle, coiffée comme Zizi Jeanmaire, le teint lisse de Blanche-Neige et déjà une sacrée personnalité, instantanément campée sur ses avant-bras. « Ça promet », a dit la sage-femme. Elle avait raison. La vie avec toi était passionnelle, fusionnelle. Tu avais besoin de moi, j'avais besoin de toi. La nuit, nous nous blottissions l'une contre l'autre. Nous étions dépendantes, j'étais consentante. Plus tard, tu t'es forgé un caractère contrasté. Tour à tour ouragan, silencieuse, attentive, inaccessible, tu as gardé, depuis toujours, cette faculté de lire dans mon cœur et de deviner mes pensées…

Douze ans plus tard, avec un nouveau papa et un bonheur tout neuf, deux garçons sont nés en deux ans… après cinq filles à nous deux de nos vies précédentes !

Maman comblée, femme amoureuse. Plus mûre, plus sûre, je redécouvrais mes gestes, mes émotions, sans crainte… seulement du plaisir.

Samuel est né d'un amour éperdu entre son papa et moi, et du désir très fort de ses sœurs qui l'attendaient d'une impatience fiévreuse. Un fils ! Les femmes ont raison : « Un garçon pour une maman, ce n'est pas pareil », disait ma mère.

J'avoue sans honte que Samuel est mon petit héros, mon grand amour, mon dictateur de charme. Sa naissance fut une ivresse. Jean et moi pleurions ce miracle. Il était tout entier ce bébé, tout doux et en belle santé. Je m'extasiais, béate de sa présence, l'allaiter était magique. J'avais un besoin absolu d'observer « mon fils ». Le reste est impossible à raconter. Aujourd'hui, mon petit bonhomme, tu as quatre ans et tu es déguisé en Batman. T'entendre me dire « Je t'aime » me cloue sur place, me liquéfie et fait sourire, de je ne sais quoi, mon amoureux, ton papa.

Enfin, Eytan a vu le jour en octobre 1997. C'était mon premier bébé d'hiver. En hébreu biblique, ce prénom signifie « force et impétuosité », tout un programme. Cela lui convient parfaitement. Eytan est né à vitesse supersonique. Deux contractions et il pointait le bout de son nez. Il a surpris tout le monde, lui en premier : glissant de moi si vite que ça lui a coupé net son premier cri ! Et de peur, son papa s'est évanoui !

Il fallait bien qu'il affirme sa présence ce bébé-là, dernier d'une nichée de sept enfants. Alors, pour lui dire mon amour et lui souhaiter la bienvenue sur terre, je l'ai gardé deux heures tout contre moi, au chaud, dans la salle d'accouchement, sans se presser, sans se stresser, sans se soucier de rien. Une transition indispensable. Nous étions bien, lui et moi, dans notre bulle. En fait, nous ne nous sommes pas quittés pendant trois jours et trois nuits. Il dormait sur mon cœur, à même la peau, tout petit, tout blotti, tout calme.

Avec lui, tout est toujours aussi calme et aussi doux. Je déguste l'odeur inimitable de son crâne, de ses mains, de son cou. C'est le parfum le plus doux que je connaisse. Au réveil, Eytan est un délice, une petite brioche toute ronde, toute chaude, aux joues roses de sommeil. C'est un mélange de sucre et d'épices.

Mon petit garçon, tu es un sage. Tu contemples, tu prends le temps de regarder le temps passer, ton charme est à fleur de cœur. Tu fais ta place comme tu es, fort et tranquille.

Mes bébés, mes enfants, mes amours…

Mathilda May

Actrice mais aussi danseuse, Mathilda May a reçu le premier prix du Conservatoire de danse de Paris, et le milieu du cinéma lui a remis le César du meilleur espoir en 1988.

Mathilda est l'heureuse maman de deux enfants : Sarah, née en 1994, et Jules, né en 1997.

Un champ d'amour

J'attendais beaucoup de la maternité. Je ne pouvais pas imaginer ma vie sans enfant et je souhaitais que ce soit l'aboutissement d'une histoire d'amour.

C'est d'ailleurs très curieux comme cette envie s'impose quand on rencontre la bonne personne, tout à coup la question ne se pose plus.

Pendant ma grossesse, j'ai énormément appris. Sur tout, sur moi… Je me souviens que mes premières appréhensions étaient plutôt comiques car purement matérielles. J'étais plus angoissée par l'idée d'acheter une mauvaise marque de lait et de couches, que par la perspective d'avoir un enfant anormal !

Une espèce de force mystérieuse et supérieure avait stoppé net toute peur et chassé tout ce qui pouvait nuire à mon bien-être, notre bien-être.

J'étais mieux que bien, j'étais sereine, détendue, émerveillée, je ne pouvais et ne savais que me faire du bien. J'étais très étonnée de pouvoir mener une vie normale sans contrainte et de fabriquer dans le même temps une personne. Je me regardais et me disais : « J'ai deux cœurs, deux sexes en moi et rien n'est changé. Je peux danser, vivre, chanter le plus naturellement du monde. » C'était simple et heureux.

Je me sentais fière, utile. Pendant neuf mois, j'ai pu la protéger, la pousser vers la vie, elle s'est nourrie de moi. Pourtant, dès l'instant où elle est arrivée sur terre, elle m'échappait déjà. M'occuper d'elle, l'élever consistait désormais à la rendre autonome.

Découvrir ma fille a été un moment extraordinaire. La puissance et la force de vie de cette petite chose m'ont subjuguée ; son cri bouleversant dans le silence, au milieu de tous les médecins, les infirmières… Elle était là, l'affirmait haut et fort, et il faudrait désormais compter avec quelqu'un de plus. Une petite fille s'est arrêtée de pleurer, une fois contre moi.

J'ai su alors que c'étaient les enfants qui choisissaient leurs parents, pas l'inverse. En s'arrêtant de crier dans mes bras, elle m'avait reconnue, désignée.

Quelle leçon !

Le lendemain de l'accouchement, je me suis sentie très seule, j'ai pleuré une journée entière. Neuf mois que nous étions deux et ne formions qu'un. Et puis, tout a basculé, elle était Sarah, sans moi. Je me suis sentie abandonnée, peut-être parce qu'en devenant mère soi-même, on revit inconsciemment la première séparation : celle de sa propre naissance.

À cet état de tristesse s'est greffée une frustration liée à la césarienne qui m'a empêchée de participer véritablement à mon accouchement. Certes, elle était nécessaire, mais bien que le sachant, j'ai eu le sentiment de ne pas être allée au bout de mon travail de femme et de mère, parce que mon corps ne m'appartenait plus.

Psychologiquement, cela crée un manque, quelque chose que je n'ai pas vécu, comme une absence, ou une frustration.

Peut-être pour cette raison, et pour d'autres certainement, j'ai entretenu un rapport fusionnel avec ma fille. Il a duré un peu trop longtemps, puisque pendant deux ans, je n'ai plus existé sans elle. J'étais littéralement fascinée par cette volonté, ces extraordinaires efforts pour communiquer. Je n'imaginais même pas à quel point il devait être insupportable pour Sarah d'être ainsi observée vingt-quatre heures sur vingt-quatre ou presque…

Rien n'était aussi fort que ce que je vivais en sa présence. Dès lors, les choix ont été vite faits. Je ne sortais plus, je ne travaillais presque plus, je ne m'occupais plus de moi et je me complaisais dans cette relation passionnelle, fusionnelle.

Et puis, j'ai lu. Dolto, Bettelheim, je me suis rendu compte que par amour pour un enfant, on pouvait lui faire beaucoup de mal : aimer ne suffit pas… Au nom du « bien pour l'enfant », que d'erreurs !

En voulant apprendre sur ma fille, c'est moi que j'ai fini par comprendre. Dolto et sa théorie sur le méfait des non-dits m'ont, par exemple, révélé à quel point j'en avais moi-même souffert. J'ai réalisé qu'en pensant faire le bien de Sarah, j'aurais agi en réaction à mon passé, mon histoire, mes souffrances, mon enfance.

Je devais me retrouver si je voulais rencontrer les autres. Et plus je réfléchissais, plus je prenais conscience du fait que beaucoup de choses m'avaient

manqué petite. Avant d'être en état d'élever mon enfant, il fallait me débarrasser de mes propres souffrances.

Alors, je suis rentrée en psychothérapie et j'ai fait un autre enfant. Mon « champ d'amour » maternel s'est élargi. Sarah n'était plus mon unique centre d'intérêt. Il y avait tout à coup justice et équilibre.

Mes enfants m'ont aidée à devenir mère, à rester femme, à tout remettre en ordre. Grâce à eux, j'ai pu faire le chemin à l'envers.

J'ai vécu une sorte de renaissance qui m'a permis de les aimer et non plus de les vénérer. J'ai cessé de les traiter en enfants « miracles », en enfants sacrés. Désormais, je les considère comme des personnes. Des adultes en devenir. Grâce à Sarah et à Jules, j'ai appris à aimer les enfants, tous les enfants, y compris celle que j'ai été…

Catherine Nouvel

Sarah Nouvel est née le 18 avril 1994. Elle vit à Paris avec sa maman, Catherine, qui ne travaille pas, et Jean, son papa architecte. Depuis la naissance de Sarah, Catherine Nouvel a tenu un journal dont elle confie ici quelques extraits.

La tyrannie consentie

21 h 30.

Penchée au-dessus du berceau, je regarde dormir ma merveille. Elle pousse de longs soupirs, gémit dans son sommeil et j'entends le petit bruit de plastique de la couche à chacune de ses respirations. Les mains sursautent, s'agitent, et sans cesse sur son visage se succèdent des mimiques qui laissent parfois place à un ravissant sourire, si heureux qu'il me fait sourire moi aussi, béate comme s'il m'était adressé. Je m'approche et, avant de partir, j'embrasse tout doucement le front bombé et l'espace entre les deux yeux. Elle ne bronche pas.

Minuit.

L'esprit encore embrumé de sommeil, j'entends ma petite qui appelle à grands cris puissants. Je me précipite et la trouve au fond du berceau dans un incroyable désordre de draps, alors que je l'avais laissée bien rangée, allongée sur le flanc. Je me penche vers elle, lui murmure que je la sors de là si elle me fait un sourire. Elle bâille, s'étire, pousse, devient toute rouge, finit par sourire de ne plus être seule. Je la saisis et l'emporte vers ma chambre comme le loup emporte l'agneau. Elle a transpiré et sent l'humidité douce et tiède, un peu sucrée, un peu aigre. Cela m'enchante. L'envie de la manger ne me quitte pas, je l'aime, je l'aime.

Sur mon lit, avec l'oreiller et la couette, je lui fais un petit nid contre le mur et éteins la lumière. Vautrée au-dessus d'elle dans le noir, je l'ennuie à la couvrir de baisers. Elle se débat et cherche à éloigner mon visage. Elle y parvient d'une main voletante qui m'atteint l'œil et me brûle d'un éclair blanc. Je me colle un peu plus, l'écrase et la mordille, tiens ses poings dans les miens, pour me garer des coups. Mais elle s'énerve, je sais que c'est l'heure du repas. Je rallume la lampe et ouvre ma chemise.

4 h 30.

Dans un demi-sommeil, j'entends qu'elle crie beaucoup, peut-être depuis longtemps. Je reprends brutalement mes esprits et me rue dans sa chambre. J'ai laissé passer l'heure.

Écarlate et hirsute, elle pleure. Elle est en train de dévorer ses mains. Elle a l'air de s'être battue contre son berceau. Je l'entraîne vivement vers mon lit et lui présente mon sein sur lequel elle se jette en grognant. Elle boit avidement, fouette l'air de ses bras en donnant de grands coups de tête qui me font mal. Elle est si agitée que je parviens difficilement à la tenir. J'en ai fait un gremlin. Elle s'arrête enfin, haletante, elle a du mal à reprendre son souffle. Comme d'habitude, passé le premier moment de grande goinfrerie, elle se met à jouer. Elle tourne la tête, plaque son oreille qu'elle frotte contre mon sein, en approche de nouveau sa bouche, le goûte du bout de la langue. Puis le repousse avec les mains, revient s'en rouler le bout sur les lèvres en piaillant, fait mine de s'éloigner encore, repart à l'attaque en poussant de grands cris, tête à nouveau, les yeux mi-clos, les mains pressantes, j'ai du mal à me retenir de rire. Elle s'arrête, me fait un sourire et pousse un petit soupir de satisfaction, si joli qu'il me paye de toutes ses tyrannies.

Soudain, tout est calme. Elle s'est endormie. Avec d'infinies précautions, je m'allonge à côté d'elle.

Mais je ne peux trouver le sommeil. Inquiète à l'idée de l'écraser, je vérifie constamment du plat de la main, délicatement, qu'elle est toujours là, qu'elle n'est pas en chemin vers le fond du lit, qu'elle ne s'est pas faufilée sous l'oreiller ou vers le bord. Et puis, j'ai peur qu'elle n'ait froid, qu'elle n'ait chaud, qu'elle ne plaise à un insecte…

7 h 00.

En reboutonnant ma chemise devant la glace, je lis sur mes traits la fatigue des nuits passées près d'elle. Pendant que mon bourreau, à demi allongé dans son berceau, me guette du coin de l'œil, très occupé à se fourrer consciencieusement un, puis deux doigts, puis le poing entier dans la bouche, au risque de se faire vomir. Sarah suçote tout cela en bavant beaucoup et semble ravie du bruit qu'elle fait. De temps en temps, sa main, comme mue par un ressort incontrôlable, se jette en arrière, le bras tendu, le poing fermé, dans un geste de révolutionnaire. Avec peine, elle la ramène dans sa bouche et gargouille. L'autre main s'approche, mais les deux ne tiennent pas ensemble dans la petite bouche. Les minuscules doigts s'agitent, déçus.

Tous ces efforts ne sont pas vains, elle vient d'attraper le hoquet, prémices de débordements laiteux. Elle crie un peu, s'agite beaucoup, réussit à cracher du lait que ses gestes désordonnés ont tôt fait de lui étaler sur le museau.

Je la dévore des yeux.

Je suis amoureuse.

Agnès Touraine

Directrice générale adjointe du groupe Havas, Agnès Touraine

est une brillante femme d'affaires. Diplômée de Sciences Po

puis d'un MBA, elle est mariée et mère de deux enfants,

Alexia, 10 ans, et Hadrien, 6 ans.

Responsable de huit mille personnes et d'un budget de dix

milliards de francs, Agnès Touraine est une femme qui court.

Mais ses enfants sont une passion qui lui permet de rela-

tiviser bien des choses.

À contre-emploi

Ma carrière a fait de ma vie une course contre la montre. Rien n'était prémédité mais tout est allé très vite. Conséquence personnelle, j'ai eu mon premier enfant à 33 ans. Auparavant, cela n'aurait pas été possible, je n'avais pas le temps.

Mon métier d'alors m'occupait vingt-trois heures sur vingt-quatre et m'obligeait à me déplacer sans arrêt. Je ne savais pas quand je rentrerais à la maison ; d'ailleurs, je n'étais jamais chez moi.

Et puis, j'ai changé de société. Je me suis mariée et j'ai mis en route Alexia, mon bébé « congé payé », comme on surnomme les enfants conçus l'été.

Je garde un souvenir formidable de ma grossesse. Je n'ai eu aucun petit malheur, aucun petit bobo. Le seul bémol, c'est cette irrépressible envie de dormir, qui pourtant ne m'a pas empêchée de travailler jusqu'à la dernière semaine avant l'accouchement.

Alexia est née par un beau matin de mai. J'ai dit à mon mari : « Je crois qu'il faut y aller, c'est le moment », et nous sommes partis pour la clinique. Il faisait un temps magnifique. Tout s'est parfaitement déroulé, sans angoisse ni mauvaise surprise. C'était comme dans un rêve, et pour cause, j'avais un peu aidé la réalité. Les concepts du genre « la rédemption dans la souffrance », ne sont pas pour moi ! Je n'ai aucune prédisposition pour la douleur. J'avais donc négocié avec le médecin qu'il me pose une péridurale avant même que le besoin ne s'en fasse sentir et, qu'aux premiers signes de douleur, il force la dose.

J'étais sur un nuage. La naissance de ma fille est l'un des plus beaux souvenirs de ma vie. Quand je repense à cette période, une sensation de bien-être me revient spontanément en mémoire : mon bébé dans mes bras, des gens aux petits soins, des journées entières rien que pour moi, des fleurs partout dans la chambre, la fenêtre ouverte sur un grand soleil… Une véritable image d'Épinal, je ne voulais plus rentrer chez moi !

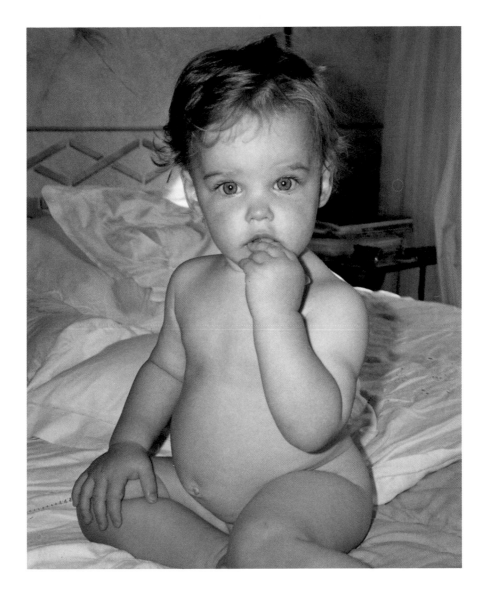

C'est à ce moment-là que j'ai découvert la « maternité ». Jusque-là, « être mère » restait une idée un peu abstraite. Jusqu'à ce que le lien avec Alexia se noue. L'intensité était au-delà de tout ce que j'avais imaginé.

Trois semaines seulement après mon accouchement, je suis retournée travailler. De nouveau prise dans un tourbillon, et déjà à des lieues du rythme de vie à la maison ! Le quotidien d'Alexia avait quelque chose de rassurant, de méthodique : 210 ml d'eau, sept doses de lait en poudre, le jus d'orange à onze heures… tous ces rituels des premiers mois sont adorables, mais ils m'ont aussi fait prendre conscience que ce n'était pas « mon truc » !

J'avoue, je ne suis pas une maman du « quotidien ». Je n'ai jamais aimé piétiner trois heures à la sortie d'une école ni pousser un landau dans un parc. Je m'en suis rendu compte avec Alexia et davantage encore avec Hadrien. C'est la nounou qui gère les problèmes matériels à ma place, rôle que je lui délègue volontiers et pour lequel je lui voue une reconnaissance sans faille.

Par contre, j'adore jouer, raconter des histoires à mes enfants et passer du temps avec eux.

C'est une vraie passion. J'essaie d'être disponible, de leur donner des habitudes, des horaires réguliers, car c'est ainsi que les petits se construisent. Je leur consacre les week-ends : adieu copains et maisons de campagne...

Tous les matins, nous avons pris l'habitude de petit déjeuner ensemble, et tant pis si les biberons ont souvent été froids, l'essentiel est que nous ayons pu partager ce moment. Je leur ai expliqué, depuis qu'ils sont bébés, que l'on pouvait former une famille très unie tout en ayant chacun une vie à soi et passionnante.

J'ai essayé de les rassurer, j'ai fait en sorte qu'ils sachent toujours où me joindre durant mes voyages. Rien – surtout pas des milliers de kilomètres – n'a jamais pu nous séparer.

Aujourd'hui, j'aime ce qu'ils sont devenus. Leur monde me plaît. Ils m'apprennent énormément, me forcent à relativiser. Lorsqu'on est dans une entreprise, avec ses inévitables rapports de force, retrouver ses enfants remet les idées en place. Parce que les enjeux professionnels nous donnent parfois une vision de la réalité tout à fait démesurée.

Je n'oublierai jamais les soirs où Alexia ou Hadrien me disait : « Maman, tu viens dîner avec Babar ? » Tout à coup, il n'y avait plus de stratégies, de rendez-vous cruciaux, de budgets. Avec les enfants, la vie n'est que générosité, innocence, gentillesse. Ils veulent tout sauver, papa, maman, le chien et l'humanité entière : ils m'étonneront toujours...

Parfois, lorsque je rentre à la maison à l'improviste et qu'ils s'amusent avec leurs copains, j'ai le sentiment de les déranger. Je réalise qu'ils ont grandi, vite, et qu'ils me manquent plus que je ne leur manque. Mais quelle mère ne ressent pas cela un jour ?

Géraldine Carré

C'est entre autres raisons parce que je venais d'être maman

pour la première fois que mon amie Alix Girod de l'Ain et

les Éditions de La Martinière m'ont proposé de réaliser ce

livre. Pendant deux mois, j'ai recueilli des témoignages et

parlé « petits bouts », le plus clair de mon temps. J'ai même

failli croire que tous étaient mes enfants, jusqu'à en oublier

ma propre histoire.

Alors moi aussi, j'ai eu envie de partager ces instants

uniques et de faire un clin d'œil à ma fille, petite Sasha,

qui vient d'avoir un an. C'est quand même grâce à elle que

Toi, mon bébé est un peu devenu le mien.

9 mois, et moi, et moi... et moi

Décembre 1997. Enceinte ! ça y est, je suis enceinte. Je fabrique une autre vie depuis quelques semaines. On ne voit rien, mon ventre est plat, seuls mon mari et moi partageons cette joie et cette excitation. J'ai envie de le dire à tout le monde et d'avoir un ventre énorme !

3 mois. Février. Je suis barbouillée, nauséeuse et fatiguée. C'est normal, paraît-il, c'est à cause de la fabrication du corps jaune le premier trimestre. J'avale cinq ou six oranges par jour, je dors tout l'après-midi et je vais à la radio le plus tard possible. Il fait froid. J'attrape un rhume qui devient une angine puis une sinusite. Au secours ! Des antibiotiques, docteur, s'il vous plaît, même qu'un petit peu, pas longtemps c'est promis, mais j'ai mal ! Mon dos me fait souffrir, lui aussi, et pourtant ce n'est pas mon ventre qui m'encombre. Je décide de ne plus pratiquer la danse orientale. C'est mauvais dans mon état. Quant au sport, j'avais déjà arrêté il y a dix ans, en prévision de la grossesse.

4 mois et des poussières. Mars. « Bibendum », c'est moi. J'ai pris neuf kilos en trois mois, je fais de la rétention d'eau. Tout a gonflé : mon ventre, mais c'est plutôt une bonne nouvelle, mes bras, mes cuisses et surtout mon visage. Je ne l'assume pas du tout. Je me sens moche, moche, moche. En plus, je viens de passer d'une taille 38 à du 42... Je tente des essayages dans les boutiques et je pleure dans les cabines.

Bref, c'est une mauvaise période pour l'égo. Sans compter que mon ventre tire dans tous les sens. Je cours, inquiète, faire une échographie. On m'annonce deux bonnes nouvelles.

Primo, à l'origine de ma douleur : les abdominaux qui ne rendent pas le ventre très souple (fierté de l'auteur). En fait, ce sont des courbatures qui sont tellement fortes que je les prends pour des contractions, je n'y connais rien, c'est ma première grossesse !! Secundo, nous l'appellerons Sasha. Oui, c'est une fille, on nous l'a dit à trois mois et demi.

5 mois. Avril. La situation s'améliore, le poids se répartit et je dégonfle un peu. Ceci étant, je ne rentre définitivement plus dans ma garde-robe, bon prétexte pour aller faire du shopping, mais cela ne m'amuse pas. Je préfère jeter mon dévolu sur des asperges, des brocolis et des pains au chocolat.

J'ai mis au point un super régime : je mange des légumes, des fruits, du fromage et des sushis aux heures des repas et, comme c'est diététique, je m'autorise des Smarties et autres Bounty dans la matinée, des pâtisseries l'après-midi, et des toasts de fois gras en fin de journée...

Oui, ce n'est pas terrible, mais il faut bien que je compense et me récompense puisque je ne fume plus (enfin presque !).

6 mois. Mai. Ah, je ris de me voir si belle en ce miroir !

Je suis grosse, en tous les cas mon ventre (et mon derrière), et c'est bon ! Je sens mon bébé bouger, je lui parle toute la journée, je danse et je chante à longueur de temps, et nous partons au soleil faire bronzer notre petite fille. Tant pis pour le masque de grossesse. Je cambre les reins, j'exhibe mes seins, j'ondule en robe longue moulante avec des madones imprimées dessus.

Cet état m'amuse beaucoup. Je vais – légère – préparer mon émission à la radio, les auditeurs trouvent que je suis dans une forme olympique et encore plus cinglée que d'habitude. Tant mieux. Avec Alix (journaliste sérieuse) et Roland (avocat bon teint), nous chantons *Let the sun shine…* et *J'ai encore rêvé d'elle…* en direct à l'antenne.

7 mois. Juin. La grossesse me rend invincible, séduisante, Pacha (mon mari) répète à l'envi que je suis une jolie femme enceinte : « La grossesse te va très bien », dit-il, en caressant mes rondeurs. Il trouve ma peau douce comme celle d'un bébé. Normal ! Depuis le début, je m'enduis de « crème-anti-vergetures », de « gel-hydratant-purificateur-peau lisse », de « lait-absorbant-non-gras-spécial-peau-fragile-à-tendance-sèche », j'ai toute la panoplie ; cela me coûte une fortune en pharmacie sans compter les huiles et sels de bains, mais c'est tellement bon de se faire du bien !

J'ai envie d'aimer tout le monde. À la radio, je roucoule littéralement, je souris à m'en décrocher la mâchoire et il me vient une idée farfelue à chaque minute. Avec la complicité de l'équipe, nous faisons croire que l'émission se déroule sur le toit d'Europe 1, que des transats sont installés ; le réalisateur diffuse des chants d'oiseaux comme à la campagne et je raconte que nous sommes tous en maillot de bain !!!

8 mois. Juillet. C'est l'été. Il fait chaud, j'adore ça. Impression de douceur dans tout le corps, comme si le soleil m'habillait de l'intérieur. Je me sens soyeuse et en vacances.

Direction la Côte d'Azur. Comme le ridicule ne tue plus, je m'installe à Saint-Tropez. Le meilleur endroit pour pavaner enceinte jusqu'aux dents. J'ai pris quinze, seize kilos, je ne sais pas très bien, on ne va pas chipoter pour mille grammes.

Pacha est resté à Paris. Il a beaucoup de travail : trois matchs par jour à suivre, Coupe du monde oblige !

À la plage, on me dorlote et, étonnamment, on ne me cache pas derrière un parasol. Je reste des heures dans l'eau à flotter (facile) et je sens des regards de compassion. Après *Sauvez Willy*, voilà « Sauvez Gégé ». Un copain du coin débarque d'ailleurs tous les jours sur la plage en hurlant : « Oh ! mon baleineau préféré !... »

8 mois. Suite. Mon amie Péri me rejoint. Elle vient d'accoucher d'un troisième garçon, alors, solidarité de parturiente oblige, elle vient se ridiculiser avec moi. Toutes les deux allongées, échouées, nous draguons du coin de l'œil des Brésiliens branchés foot. Péri semble convaincue que son maillot a des vertus amaigrissantes, et moi, je me prends pour la réincarnation de Demi Moore en première page d'un magazine célèbre.

Le bide est total ! Nous en sommes réduites à prendre soin de nos ongles, nos pieds, nos cheveux. Au bout du rouleau, nous passons des heures à siroter du rosé et les soirées télé ont remplacé les soirées boîtes. Dé - bor - dées !

Le 14 juillet, journée spéciale : « J'aime le foot plus que tout au monde ». Avec nos maris, nous vibrons pour la France, les pieds dans le sable. Mon ventre s'est transformé en ballon bleu, blanc, rouge, entièrement peint à la main ! Discret, facile à porter en toutes circonstances, j'en ai gardé la trace pendant un mois.

9 mois. Août. On forme une jolie photo de famille, Pacha, moi, mon ventre Sasha et Lipstick la chienne.

Je suis bronzée, dorée, cuite à point ; mes dix-huit kilos me semblent invisibles. L'homme de ma vie m'attrape par le mini-paréo à volants (c'était la tendance de l'été dernier) et me raisonne. Il faut rentrer et aller accoucher. Je suis prête.

Sasha est née un dimanche 30 août en fin de matinée des mains expertes et accueillantes de Marc et Jérôme. Merci mon bébé, de m'avoir fait vivre neuf mois d'une telle intensité. Merci Pacha, de m'aimer sans peur et sans reproche...

Crédits photographiques

Toutes les photographies proviennent des archives personnelles des auteurs sauf :

Achevé d'imprimer sur les presses de l'imprimerie
Vincenzo Bona à Turin
Dépôt légal : septembre 1999
ISBN : 2-7324-2553-2
Imprimé en Italie